＼ 世界でいちばんやさしい ／

教養の教科書

［自然科学の教養］

［著］児玉克順 ［絵］fancomi

Gakken

はじめに

科学技術に対して無防備にならないために

新しい社会は今の、そしてこれからの科学技術をもとにつくられますが、**今の科学技術は私たちの生活感覚で理解しづらいものも少なくありません**。しかし私たちはすでに、理解できていないまま、科学技術の産物を使いこなす日々を送っています。これはある意味、**科学技術に対してあまりに無防備**といえます。私たちは、**ある程度科学技術に関する「知の武装」が必要**ではないでしょうか。

本書は、自然科学分野の教養を時系列にそって「**ストーリー形式**」で説明した「**教養の教科書**」です。たくさんのイラストや図解、キーワード解説を駆使し、「分かりやすさ」と「正しさ」の間で平衡（バランス）をとることを常に意識しながら解説しました。本書を読むことで、自然科学の原理や法則や発見を、時代の流れにそった「**縦のかかわり**」を通して分かりやすく学ぶことができます。そして、科学技術の理解に少しでも近づくための「**知の土台**」が得られます。

本書から得られる効果❶
☑ 先人たちの「知」と「理系的思考の枠組み」が得られる
☑ 科学技術や自然現象のからくりをある程度「理解」できるようになる
☑ 自然科学の「理解」をもとに、新たな「アイデア」が生み出せるようになる

分野の境界を越えた様々な知見を得るために

人が文章や新聞やニュースなどを理解するためには、ある程度の背景知識がないと歯が立ちません。これは自然科学分野では特に顕著なのですが、さらに今ある最新の自然科学はどの分野も、物理学・数学・化学・地学・生物学などの境界を越えた様々な知見をもとに築かれるため、**それぞれの分野の背景知識だけを独立して手に入れただけでは、なかなか理解が難しい**ものになっています。

本書は、自然科学の本や記事やニュースを理解するために必要な各分野の最低限の背景知識を身につけて、さらに様々な自然科学の本に手をのばしてもらう目的で執筆したものです。また、1冊で多くの分野が学べるように、全8章の分野をまとめました。さらにそれらの分野が孤立しないように各分野のリンク先を多く用意して、「横のかかわり」もイメージできるよう工夫しています。

したがって、本書を読むことで、**自然科学への興味・関心**を高めて、次に手をのばした本の理解をずっと楽にすることができます。
なお、本書の巻末に、「もっと教養を深めたい人のためのブックガイド」を用意しました。次の本に手をのばすご参考に、お役立てください。

本書から得られる効果❷
☑ 本書より難しめな本の理解の手助けができる
☑ 自然科学の各分野の理解に必要な他分野の背景知識が手に入る
☑ 自然科学関連の新聞やニュースの理解をもっと深めることができる

本書をきっかけにさらなる読書の旅へ

本書は、一度読んで面白く、二度読んで考えさせられ、三度読んで新たな発見を得る、そういう「深さ」を持っています。ぜひ何度も読み返してみてください。また、本書を読んだことをきっかけに、きっと様々な本をもっともっと読みたくなるでしょう。読書でつまずいてしまった——そんなときには、ふたたび本書に手をのばし、ページを開いてみてください。本書の「深さ」に気付くはずです。「教科書」とは本来みな、そういうものなのです。

著者
児 玉 克 順

学習の流れ
HOW TO STUDY

STEP.1

教養を豊かにする

本書では、各章を二段階のステップに分け、マクロの視点からミクロの視点へと順に学習を進めていくことで無理なく教養を深められるように構成しています。はじめに、各分野の教養を「ストーリー」として学習します。ここでは、各分野における進歩・発展の「流れ」をイラスト図解と文章による説明で徹底的にかみくだき、楽しく分かりやすく解説しています。

STEP.2

重要用語と重要人物を掘り下げる

その分野における知見のイメージがつかめたら、次にその分野をより深く理解するのに必要なキーワードを学習します。ここで扱われるキーワードはすべてSTEP.1のストーリー説明の中に登場しています。STEP.1でおさえたストーリーの理解と結びつけてキーワードを学習することで、単に「知っている」というだけでなく「使いこなせる」ようになります。

もくじ
CONTENTS

1

Chapter.

The Most Intelligible Guide
of General Knowledge in the World

科学史

History of science

科学という名の物語

この章では、古代から現代までに科学がどのように推移していったか、その歴史を追いかけていきます。今後本書を読み進めていくうえで、以降すべての章にかかわる、科学の大きな流れをまずは「ストーリー」として学んでいきます。

ENRICH YOUR EDUCATION

教養を豊かにする

🔍 登場する主なキーワード

☑主体　　☑対象　　　　　☑反証可能性　　☑アラビア数学
☑地動説　☑オッカムの剃刀　☑科学革命　　　☑論理
☑証明　　☑万有引力　　　　☑パラダイムシフト　☑ノーベル賞
☑STS　　☑シンギュラリティ　☑AI

1-1 科学の始まり

―科学はまだ、神や実利から離れられなかった―

❶ 古代ギリシアの科学

科学の定義とは多様で様々なものですが、仮に**「対象を自らと切り離して観察・研究・考察すること」「反証の可能性を受け入れ、常に疑いを持つこと」**としてみましょう。

[通常の私たち]

通常私たちは対象に対して「自分とのかかわり」を通して考察する。そして対象の認識を疑おうとはしない。

[科学の立場]

科学の場合、対象を「自分とのかかわり」から切り離して考察する。そして実験や観察による批判や否定を受け入れていく（ 反証可能性 ❸ ）。

とすると、科学の始まりは古代ギリシア時代ということができます。

数学・物理学・化学・生物学・医学・天文学など、
現代科学に通じる叡智（えいち）がすでに存在していた!!

古代ギリシアの哲人たちは対象の **客観** ④ 的な観察と研究により、世界は見えない「**秩序（コスモス）** ⑤ 」によって成り立っていると考えました。これは信仰と呪術を中心とする当時としては画期的な世界認識といえます。

当時の科学者はどのような立場で、
どのような技術を手に研究していたのでしょうか。

プラトン ① は「アカデメイア」という学園を、
アリストテレス ② は「リュケイオン」という学園をつくり、研究を深化させた。

古代ギリシアは交易がさかんであり、様々な情報が簡単に手に入りました。しかも **パピルス** ⑥ という「紙」をエジプトから手に入れていたことが、計算と考察に貢献しました。

しかし彼らの研究成果の中で、**古代ローマ時代からのキリスト教の教義に合わないものや、実用的ではないものは軽視**されてしまいました。そのうえ、記された資料は保存のきかないものばかりであったため、彼らの叡智の大半は失われてしまいました。

アリストテレスは大量の著作を残し、リュケイオンには膨大な書物が残されたというが、実はほとんどが失われ、現在私たちの知る古代ギリシア科学の叡智はほんの一部でしかない。

② イスラム世界からヨーロッパへ

古代ギリシア・ローマ時代に研究された科学の叡智にふたたび目を向けたのは、ヨーロッパではなくイスラム世界でした。

イスラム世界は、対象を「自分たちとのかかわり」から切り離したわけではなく、
あくまでも「自分たちの利益」のためではあったが、
ギリシア語の文献をアラビア語に訳して古代ギリシア科学の叡智を手に入れようとした。

当時の科学者はどのような立場で、
どのような技術を手に研究していたのでしょうか。

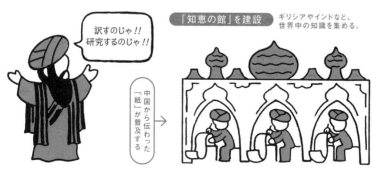

ギリシア語の文献の翻訳が中心だった。
そのため議論も反証の批判も育まれることはなかった。
しかし数学の分野ではインド数学の影響も受けて、 **アラビア数学** **7** が大きく発展した。
（詳しくは『 **Chap.6** **数学** 』でお話しします）

しかし12世紀以降、イスラム帝国の衰退とともに、科学研究の中心はヨーロッパのキリスト教圏に移行していきます。

❸ 神とつながった科学

11世紀の 十字軍 ⑧ 遠征によって、ヨーロッパ人はアラビア科学に出合います。

十字軍遠征を機に手に入れたアラビア科学の書物をヨーロッパ人はラテン語に翻訳して自分のものにしようとした。

当時の科学者はどのような立場で、どのような技術を手に研究していたのでしょうか。

当時の学問の中心はあくまでも神の研究であったため、科学はまだ肩身がせまかった。しかも求められていたのはあくまでも教会の教えに反しない実利的なものであった。

しかし彼らはキリスト教の支配する世界の中にいたため、当時の科学はまだ「対象を自らと切り離して観察・研究・考察すること」ではなく、**「対象を観察・研究・考察することを通して神の存在を証明すること」**を目的とするものでした。

1-2 近代科学の始まり
—偉人・賢人たちが近代科学を築き上げた—

① コペルニクスとガリレイ

キリスト教における**教会の教義に反する研究結果**を発表した人の先駆けとして、 コペルニクス ③ が挙げられます。

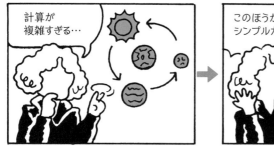

コペルニクスが 天動説 ⑩ に疑問を持ったのは、地球の周りを天体が回る前提で計算するとあまりに複雑になってしまうからだった。

そこで太陽を中心に天体が回る前提で計算すると、計算がシンプルになった。

ただしその 地動説 ⑪ も、あくまでも**神の存在を前提に生まれた**ものでした。

↑「 ルネサンス ⑫ 」と
「 オッカムの剃刀 ⑬ 」の影響

↑教会の批判を浴びないよう
細心の注意

ルネサンス期の「神は単純で美しい世界を創造した」という考え方や、
スコラ学 ⑭ の「不必要に多くのものを定立せず、
単純な理論が好ましい（オッカムの剃刀）」という思想の影響を受けていた。

コペルニクスの死後、**ガリレイ（ガリレオ・ガリレイ）** ④ は自ら製作した天体望遠鏡を使って、観察により見える世界を一気に広げます。これによりガリレイは地動説を確信に変えます。

今まで見えなかったものが見えるようになり、人は新たな発見をする。ガリレイは「観察」を重視して、新たな世界認識を試みた。

これらの「証拠」をもって、地上より外の世界は「別世界」などではなく、「自転する物質」である惑星が太陽を中心に公転する世界認識を構築した。（詳しくは『 Chap.5 宇宙』でお話しします）

彼が教会から迫害されたのは有名な話ですが、ガリレイの存在は、デカルトやニュートンに至る 科学革命 ⑮ の 礎 をつくり上げたといえるでしょう。

[今までの学者]

今までの学者は 論理 ⑯ によって頭の中で考察することが中心であり、自らに反する意見は論理によって否定しようとした。

[ガリレイ以降]

実験と観察による 証明 ⑰ を尊ぶ立場が確立された。しかも自らの予測に反する結果が出てもそれを受け入れた。
※ちなみにピサの斜塔の落下実験は伝説らしい。

② デカルトとニュートン

ガリレイに続いて、デカルトとニュートンが登場しました。それによりコペルニクスから始まる科学革命が完結します。

この科学革命において、哲学で有名な **デカルト** ⑤ と **ベーコン** ⑥ の思想は科学の方向性に大きな影響を与えました。

デカルトは、すべてのものは「それ自体のからくりでもって勝手に動くもの」と考えた（**機械論** ⑱ **哲学**）。

ベーコンの思想は近代科学のあり方に大きく影響を与えた（**帰納法** ⑲）。

そして **ニュートン** ⑦ は **万有引力** ⑳ **の法則**を導きます。

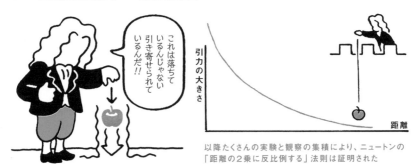

以降たくさんの実験と観察の集積により、ニュートンの「距離の2乗に反比例する」法則は証明された

ニュートンは、物体と物体との間には引き合う力があり、それは「距離の逆2乗則」に従っているという法則を導いた（万有引力の法則）。
（詳しくは『 **Chap.2 物理学** 』でお話しします）

このような研究により、**地上も天上も同じく「 普遍 ㉑ 的な法則」によって機械的に成り立っている**ことが明らかになりました。科学の パラダイムシフト ㉒ がここで起こります。

[アリストテレスのパラダイム]

地上と天上（宇宙）は別世界であり、別々の物質と法則でできていると考えられた。

[ニュートンのパラダイム]

地上も天上（宇宙）もすべて皆同じ世界であり、同じ「物質」と「力の働き」でできていると導いた。

[以降の科学]

後には生物の世界も化学の世界も力学で説明できるようになり、世界は力学的法則で成り立っていると考えるようになる（ 力学的自然観 ㉓ ）。

当時の科学者はどのような立場で、
どのような技術を手に研究していたのでしょうか。

活版印刷の発明以降

15世紀における活版印刷の発明以降、紙の書籍が大量かつ簡単に作られるようになり、
研究者が参考にできる先人の研究の情報量が飛躍的に増えた。

学会の支援

イギリスの王立協会（富裕層の支援）や
フランスの王立科学アカデミー（国家の支援）などの学会が、
彼らに研究の場を与えてくれた。

③ 様々なジャンルの進歩・発展

このような科学革命をきっかけにして、科学の様々なジャンルにおいて進歩・発展が起こります。科学の常識も変化していきました。

生物学の世界では、16世紀ごろの顕微鏡の発明が大きな飛躍を生み、19世紀以降も「遺伝の法則」や「DNAの発見」など、様々な革新的な発見をします。

17〜19世紀には顕微鏡による細胞と微生物の発見によって、動物も植物もどの生物も、細胞という同じ構成単位（普遍的な性質）でできていることを知る。

19世紀には遺伝に「法則」があることを知り、20世紀にはDNAの「構造」を知る。

化学の世界では、17世紀に 錬金術 ㉔ から化学が誕生し、18世紀に ラボア ジェ ⑧ が化学革命を起こします。(詳しくは『 Chap.7 化学』でお話しします)

17世紀には錬金術から化学が誕生し、
物質の構成を元素の化合として捉えて、分析を重視した。

18世紀にラボアジェは**質量保存の「法則」**を発見することで、
元素分析の礎をつくった。

 地質学 ㉕ や 古生物学 ㉖ の世界では、採掘技術の進歩が大きな転換を生みます。(詳しくは『 Chap.8 地球史』でお話しします)

18世紀後半の 産業革命 ㉗ からエネルギーを大量に必要としたために、大量の資源を採掘した。

それにより発見されたデータから、20世紀には大陸移動説が発表されるなど、地球の歴史が見えてきた。

このあたりから**科学の成果が、軍事・経済・国家の利益に強く結びついていく**ことになります。

19世紀から西欧諸国は 国民国家 ㉘ の道を進むようになり、
各国間の競争が進んだ。
そして 自由主義 ㉙ の 資本主義 ㉚ 経済が競争を激化させた。

現代科学の道へ

—人は科学をコントロールできるのだろうか—

① ノーベル賞への思い

アルフレッド・ノーベルは、自らの発明であるダイナマイトによって多くの命が
奪われたことへの贖罪の意識から、 ノーベル賞 **31** の授与を発案します。

本来は採掘の
手助け

ノーベル

現実は戦争でも
使用された

鉱山の採掘を助けるために発明したダイナマイトは、
戦争における大量破壊で用いられ、多数の命を奪った。

ノーベルの遺言

人類のために貢献してくれた
人に賞を贈ってくれ…

**科学は人類の
幸せのために!!**

目指せノーベル賞!!

科学は「人類の貢献のために対象を実験・観察・研究・考察すること」に
価値を見出すようになる。

しかしその後の飛躍的な**科学の進歩は、人類に貢献する**だけではなく、**脅威も
もたらす**ようになります。

② テクノロジーとのつながり

戦争は科学と **技術** ㉜ を飛躍的に進歩させます。二度の世界大戦によって様々な科学と技術が進歩しました。

第一次世界大戦

第二次世界大戦

第一次世界大戦は毒ガス開発競争のため「化学戦」、
第二次世界大戦は爆弾開発競争のため「物理戦」ともいわれた。
そして様々な科学技術をより進歩させたものが、戦争を勝利に導いた。

戦後も科学の発展に合わせて技術も進歩して、その技術をもとにしてまた科学も発展して、現代にかけて**科学と技術が加速度的に進化**するようになったのです。

科学の発展

```
010 101 0101 0011
001 111 0010 101
10 1001 01101 110
01 01 00101 1100
```

2進法による計算

技術の進歩

コンピューターの進歩

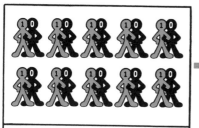

さらなる科学の発展

量子による計算

さらなる技術の進歩

量子コンピューター

GPS衛星の補正

半日で地球を1周できる速度
＝
特殊相対性理論により時間は遅れる

地上2万kmの高度
＝
一般相対性理論により時間は進む

地球の自転

地球

20世紀科学の最高峰である量子論と相対性理論が、
科学技術の進歩をさらに加速させていく。
（詳しくは『 Chap.4 量子論』『 Chap.3 相対性理論』でお話しします）

しかし科学の成果は、**科学者が予測もつかないような事態を引き起こす**ことが明らかになっていきました。

魔法のガスといわれるほど有用ゆえに大量生産されたフロンガスが、後になって地球規模の災厄をもたらすとは、人は思いもよらなかった。

③ 未知なる領域へ

もはや現代の科学は、純粋に「対象を自らと切り離して観察・研究・考察すること」はできません。人類と地球に与える影響が大きくなりすぎました。

科学者はただ自分の研究対象を研究すればよい立場ではなくなった。
社会的責任まで考えなければならなくなった。
→ **STS(science, technology and society) ㉝**

しかも**新たな技術の進歩は、人類を未知の領域へ**と連れていこうとしています。

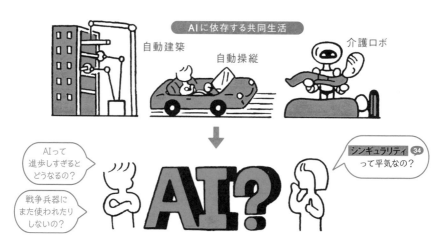

AI ㉟ の進歩がどのように進むか、情報技術の進歩がどのように進むか、良い未来になるのかどうか、人類ではもはや予測がつかなくなってしまった。

したがって**これからの科学は、世界規模で社会とモラルとのかかわりを持ったまま、発展させる必要がある**のです。

科学を科学者のみ、国家ごとに任すのではなく、
様々なかかわりの中で地球規模に考えなければならない。

科学の歴史の概論は以上です。これからはジャンルを分けて、それぞれの科学の経緯と成果を見ていきましょう。

KEYWORD & KEYPERSON
重要用語と重要人物を掘り下げる

古代ギリシア時代から、対象の客観的な観察により、人類は世界の秩序のあり方を研究・考察していきました。そして17世紀の科学革命によって、科学のパラダイムが大きく変化しました。また、18世紀後半の産業革命以降、科学は軍事・経済・国家の利益と強く結びつくようになり、戦争や環境問題など、様々な領域で影響を及ぼしていきます。そして現代では、科学は世界規模で社会やモラルとのかかわりを持った発展が求められるようになったのです。

1-1
科学の始まり
科学はまだ、神や実利から離れられなかった

KEYWORD

❶ 主体
subject

何かを見たり感じたり考えたりするとき
の見る側。

➡もともとは主体も客体も存在せず、見
る・見られるの関係があって初めて存在す
る。

❷ 対象
object

何かを見たり感じたり考えたりするとき
の見られる側。客体。

➡17世紀の哲学者ベーコンは、主体と対
象を切り離し、対象の観察と実験から普遍
的法則を導き出そうとした。

❸ 反証可能性
falsifiability

科学は実験や観察によって、批判や否定さ
れる可能性を持つということ。

➡20世紀の科学哲学者ポパーの提唱した
科学と非科学の境界線。簡単にいうと、
「間違いを認めて修正できる枠組み」が
あって初めて科学といえるということ。

❹ 客観
object

主体以外の誰から見ても同じように見え
たり感じたり考えたりする内容のこと。

➡反対に、主体が見たり感じたり考えたり
した内容のことを主観という。

❺ 秩序（コスモス）
order

自然や社会が互いに一定の関係や規則に
よって結びつき、調和のとれた状態。

➡ギリシア語のコスモス（kosmos）は、ギ
リシア哲学における「秩序ある統一体とし
ての宇宙（自然）」を表す。

❻ パピルス
papyrus

古代エジプトで作られた紙の一種。

➡紀元前2000年以上前から紀元後10世
紀ごろまで使われていた。英語のペーパー
（paper）の語源。

❼ アラビア数学
Arabic mathematics

8世紀ごろからイスラム世界において発
展した数学。イスラム数学ともいう。

➡ギリシア・インドなどの数学を取り入れ
て大きく発展した。ちなみに現代世界基
準の数字（0、1、2、3、…）はアラビア数
学で用いられたアラビア数字である。

❽ 十字軍

crusade

11世紀から13世紀にかけて、西欧キリスト教徒の行った東方イスラム世界への遠征。

➡聖地イェルサレム奪還の目的は果たせなかったが、東方との貿易や貨幣経済が発展し、アラビア科学を西欧にもたらしもした。

❾ 羊皮紙

parchment

ヒツジやヤギなどの皮をもとにして作られた書写材料。

➡耐久性が高く、3世紀末ごろから西欧でよく用いられていたが、15世紀以降、活版印刷の発明によって、刊本に用いられる紙に取って代わられていった。

KEYPERSON

① プラトン

Plato（前427〜前347）

古代ギリシア最大の哲学者の一人。

➡前387年ごろにアカデメイアという学園を創設し、研究と教育に専念した。ソクラテスの弟子で、形あるものより高次で超感覚的な「イデア」を重視した。

② アリストテレス

Aristotelēs（前384〜前322）

古代ギリシア最大の哲学者の一人。

➡自然科学に関する書を数多く残し、後の哲学や科学のモデルであり続けた。そのため西欧は「アリストテレス的世界観」という常識に長くとらわれることになる。プラトンの弟子だが、プラトンとは異なり事物の世界を重んじた。

1-2
近代科学の始まり
偉人・賢人たちが近代科学を築き上げた

KEYWORD

⑩ 天動説
geocentric theory

静止した地球が宇宙の中心であり、他の天体は地球を中心に回転しているという説。
➡古代ギリシアからの天動説は、唯一神を中心とするキリスト教の世界観と合致するために16世紀まで定説とされていた。

⑪ 地動説
heliocentric theory

太陽を中心に地球や他の惑星が回転しているという説。
➡地動説は古代ギリシアでアリスタルコスが提唱してはいたが（→P.140）、定説化したのはコペルニクスからニュートンに至るまでの150年間によってだった。

⑫ ルネサンス
Renaissance

14〜16世紀における、人間性（人間らしさ）回復を目指す文化的な運動。
➡古代ギリシアや古代ローマの簡素・均整・調和の美や、イスラム文化の影響を受けていた。

⑬ オッカムの剃刀
Occam's razor

余計な要素は切り捨てた、より単純な理論を求める立場。
➡14世紀のスコラ学者オッカムが多用した立場。必要以上に多くのものを仮定せず、根拠が十分ではない要素を切り捨てたことから名付けられた。「思考節約の原理」とも呼ばれる。

⑭ スコラ学
scholasticism

中世ヨーロッパにおける、主に神の信仰を基盤とする学問。
➡本来のスコラ学は総合的な学問だが、神への信仰を「正しさ」の基準とする例で用いられることが多い。ちなみにスコラはスクール（school）の語源。

⑮ 科学革命
scientific revolution

コペルニクスから始まって17世紀のガリレイ、ニュートンのころに完結する、近代科学の成立のこと。
➡世界史的に見れば「近代」は18世紀後半からの産業革命から始まるが、科学史的にはこの17世紀の科学革命から「近代」が始まるとされる。

⑯ 論理
logic

議論や思考の筋道。
➡アリストテレス的世界観では、実験や観察よりも、議論により相手を論破することが重視されていた。

❶ 証明

proof

あることがらが真であることを、証拠を挙げて明らかにすること。

➡近代科学では、実験や観察による証明が重視されていた。

❷ 機械論

mechanism

あらゆる現象について、機械になぞらえて、法則に従って働くと考える立場。

➡物事は何らかの目的や意志を持って動いているという考え方を排除して、科学革命以降の科学のあり方を規定した。

❸ 帰納法

induction

個別の具体的事例を積み重ねることで、一般的な法則や結論を導く方法。

➡実験や観察をもとにして法則を導く近代科学の立場はこの影響が大きい。ちなみに帰納法の対義語となる演繹法は、一般的理論を前提にして、理性を活用し、具体的な個別の結論を導いていく方法のことで、「三段論法」も演繹法の一種。

❹ 万有引力

universal gravitation

すべての物体と物体との間で引き合う力。

➡「万有」とあるように、この引力の法則は地上だろうと宇宙だろうとすべてに当てはまる。ニュートンは、万有引力の法則などを導き、地上と宇宙は異なる世界だとするアリストテレスの世界観をくつがえした。

㉑ 普遍

universal

いつの時代、どこの場所でも通じること。

➡普遍的な法則や理論を求める姿勢は、近代科学の基本的立場といえる。

㉒ パラダイムシフト

paradigm shift

今までの考え方の枠組みが劇的に変化して、次の枠組みに変わること。

➡20世紀の科学史家トマス・クーンの用いた用語。もともと科学史で使われたものだが、今では広く、体制や価値観、考え方を新たにするときに用いられる。

㉓ 力学的自然観

dynamical view of nature

地上でも宇宙でも、自然の物事はすべて何らかの力学の法則に従ってできているという考え方。

➡この自然観は18・19世紀の科学の基本的立場になった。しかし20世紀には力学的自然観には当てはまらない「量子」の存在が明らかになった。

㉔ 錬金術

alchemy

金や万能薬を人工的に生み出そうとする技術。

➡紀元前から17世紀に至るまで独自の発展を遂げた。近代化学とは異なり、宗教的・神秘的・呪術的な要素の大きい術であった。

㉕ 地質学

geology

地球のつくりや成り立ちを研究する学問。
➡鉱物・岩石・地層・化石の研究を通じて
地球の構造や歴史を探ろうとする。産業
革命以降の19世紀では資源採掘が活発
化したため、多くの発見が得られた。

㉖ 古生物学

paleontology

化石をもとにして過去の生物を研究する
学問。
➡すでに古代ギリシアから化石の研究は
行われていたらしいが、生物の科学として
本格的に研究されたのは18世紀以降にな
る。

㉗ 産業革命

industrial revolution

18世紀後半から19世紀前半にかけて起
こった、生産技術の発達による産業や社会
の大きな変革。19世紀からの近代化の
きっかけとなる。
➡産業革命をきっかけにした様々な生産
技術や製品の開発のために、科学の様々な
ジャンルが大きな発展を遂げた。

㉘ 国民国家

nation state

「〜民族」「〜言語」「〜文化」のように国民
をひとつのまとまりのある構成員として
統合することで成立する国家。国民の忠
誠や帰属意識を強める国家政策のもと生
じた。
➡国民が一丸となって発展を目指すこと
で、これも科学の発展を後押しした。

㉙ 自由主義

liberalism

国家の制約をなるべく排除した社会シス
テム。
➡学会による、国境をこえた研究者どうし
の交流によって、さらなる科学の発展が目
指された。

㉚ 資本主義

capitalism

資本家が労働者を雇って働かせ、利益を
得るシステム。
➡科学の研究の成果は、資本主義におけ
る利潤追求のために利用されることと
なった。

KEYPERSON

③ コペルニクス

Nicolaus Copernicus（1473〜1543）

ポーランドの天文学者・聖職者。

➡古代ギリシアのアリスタルコスの影響を受けて、肉眼による天体観測から地動説を導く。これをきっかけに後の天文学界と思想界に一大革命をもたらすことになる。ちなみに著書の『天球の回転について』は、当時の教会との摩擦を回避するため、彼の死の直前に刊行された。

④ ガリレイ

Galileo Galilei（1564〜1642）

イタリアの物理学者・天文学者。

➡様々な自然現象について実験と観察によって検証する方法をとったガリレイは、後の自然科学のあり方に多大な影響を与えた。

⑤ デカルト

René Descartes（1596〜1650）

フランスの哲学者・物理学者・数学者。

➡精神と物質を切り離して捉える「心身二元論」と、物質から意志や目的を排除する「機械論的世界観」によって、近代科学のあり方を方向づけた。ちなみに彼は、理性とは先天的に備わったものと考えた。

⑥ ベーコン

Francis Bacon（1561〜1626）

イギリスの哲学者。

➡自然哲学の分野において、帰納法と科学方法論を提唱することで、デカルトと同様に近代科学のあり方を方向づけた。ちなみに彼は、理性とは後天的に身につけるものと考えた。

⑦ ニュートン

Isaac Newton（1642〜1727）

イギリスの物理学者・天文学者・数学者。

➡光のスペクトル、万有引力、微分積分法を発見する。当時支配的だった「アリストテレス的世界観」をくつがえし、以後200年以上、近代自然科学の範となった。

⑧ ラボアジェ

Antoine-Laurent Lavoisier（1743〜1794）

フランスの化学者。

➡化学において、数値や数量をきちんと示して観察する定量的観察を始め、「質量保存の法則」や「燃焼理論」を導いた。近代化学の父。

1-3
現代科学の道へ
人は科学をコントロールできるのだろうか

KEYWORD

㉛ ノーベル賞
Nobel prize

ノーベルの遺言により創設された、人類に最大の貢献をもたらした人に贈られる賞。

➡創設当初は、物理学・化学・医学生理学・文学・平和の5分野だったが、後に経済学も加わった。

㉜ 技術
technology

自然に手を加えて人間の生活に役立てようとする手段。

➡現代では技術は科学と密接に関連し、科学の発展が技術の進歩を促し、技術の進歩が科学の発展を促すようになっている。

㉝ STS
science, technology and society

科学・技術と社会とのかかわりに注目する学問分野。

➡1970年以降、科学技術が社会に及ぼす影響の大きさから重要視されてきた。

㉞ シンギュラリティ
singularity

人類の技術的進歩が加速度的に進む転換点。技術的特異点。

➡アメリカの未来学者カーツワイルの提唱によると、2045年にシンギュラリティが到来し、人類に豊かな未来をもたらすとされる。そのシンギュラリティは、AIが人類をこえる点であるとの考え方が中心的。

㉟ AI
artificial intelligence

コンピューター上で人間と同じような知能を得ること。人工知能。

➡AIの開発競争が激化することで、AIの飛躍的な進歩が予想されるようになった。それによって、AIは人類に制御可能なのかどうかという新たな問題が生じている。

2

Chapter.

The Most Intelligible Guide
of General Knowledge in the World

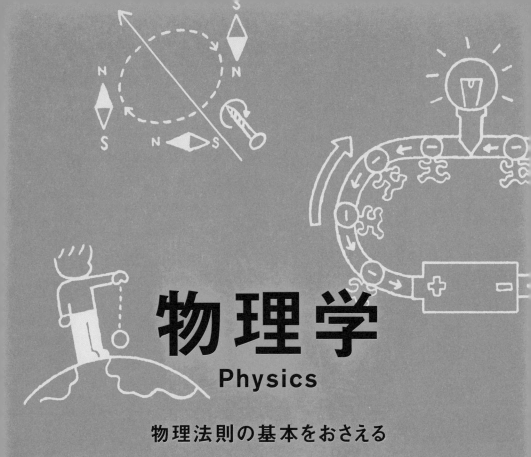

物理学
Physics

物理法則の基本をおさえる

この章では、物理学の中でも力学と熱と電磁気を中心に、歴史的経緯を追いながら説明していきます。また、物理学における「言葉の定義」や「公式」や「単位」を学んでいきます。

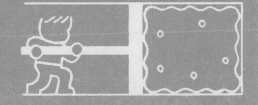

ENRICH YOUR EDUCATION
教養を豊かにする

🔍 登場する主なキーワード

☑力 ☑ニュートン力学 ☑引力と重力 ☑質量と重さ
☑速度と加速度 ☑運動方程式 ☑仕事 ☑エネルギー
☑熱力学 ☑エントロピー ☑電気 ☑磁気
☑電荷 ☑場 ☑電磁波

2-1 「力」とは何か
―科学用語と力学法則の基礎知識―

① 何気なく使う「力」

現在私たちは、様々な場面・様々な意味合いで当たり前のように「力」という言葉を使います。それほどにまで、私たちの生活には様々な「力」が働いていること、これが常識になっています。それは「力」の働きを研究してきた先人たち、特に ニュートン ① の活躍が大きく影響しているのです。

(体力)　(馬力)　(揚力)　(権力)　(記憶力)

私たちの周りには様々な種類の見えない「力」があり、
私たちはそれに振り回されたり、もしくはそれを使いこなしたりしている。

しかし一言で「 力 ① 」といっても、**私たちの生活で用いる「力」と科学のいう「力」とでは使い方が異なります。**また英語でいう「power」と「force」との違いも出てくるでしょう。まずはこれらの違いを明らかにしていきましょう。

[生活における力]　　　　　[科学における力]

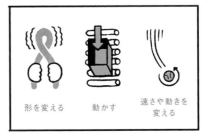

主に何かをしたり、影響を与えたりする「能力」で使われることが多い。英語だと主に「power」。

主に物体の形や状態を変える「働き」で使われることが多い。英語だと主に「force」。

❷ 「力」の「原理」や「法則」

科学における「力」は、でたらめに働いているのではなく、何らかの「原理」や「法則」にのっとっています。たとえば「てこの原理」や「落体の法則」などです。ではこの「原理」と「法則」の違いは何でしょうか。

[原理（principle）]

てこの原理　　滑車の原理　　アルキメデスの原理
※ 現代では法則扱いになっている

3t

水

経験や実験などによって明らかだと分かった物事の性質。
ただ、基本的な「法則」ともいえる。

[法則（law）]

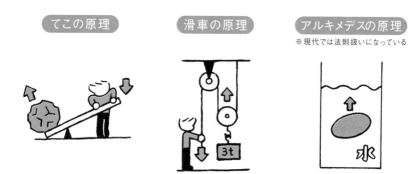

振り子の法則

落体の法則

どっちも
見つけちゃった!!

（振り幅が大きすぎない条件で）
振れが大きくても小さくても
周期はいっしょ!!

（空気抵抗を無視する条件で）
二つの物体は質量に関係なく
どっちも同じ速さで落下する!!

ガリレイ ②

物事と物事との間に**一定の条件下で**
成立する関係。主に原理から導かれる。

③ 近代力学の誕生

紀元前から人類は様々な原理や法則を導いていきました。そして17世紀になり、ニュートンは **ケプラー** ③ **の法則** ❷ を証明しようとすることで、**万有引力の法則** ❸ を導きます。

[ケプラーの法則]

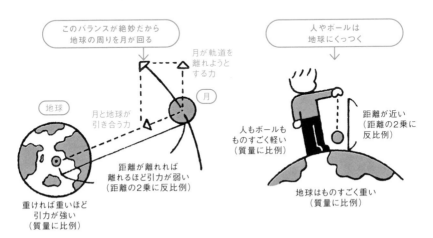

ケプラーは「惑星は楕円軌道を描く」ことを明らかにした。
そのためには、太陽と惑星の間には何らかの「力」が働いていなければならない。

[万有引力の法則]

ニュートンは地上も惑星間も同じ「力」が働いていることを明らかにした。

その後、18世紀に **オイラー** ④ や **ラグランジュ** ⑤ らがニュートン以降の力学を体系化することで、「**ニュートン力学** ④」が完成しました。これは**すべての自然に当てはまる絶対法則**と考えられましたが、20世紀になって、**光速に近い速度の物質やミクロの物質には当てはまらない**ことが明らかになりました。

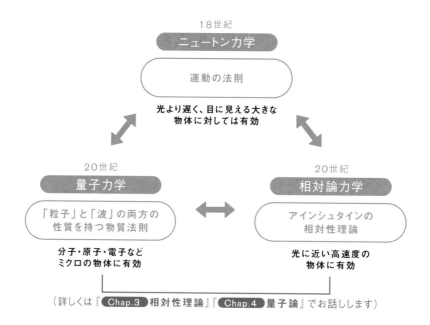

（詳しくは『**Chap.3** 相対性理論』『**Chap.4** 量子論』でお話しします）

④ 力学を学ぶ前に

力学を学ぶうえで重要なのは、「**引力と重力**」 ⑤ ⑥ 、「**質量と重さ**」 ⑦ ⑧ 、「**速度と加速度**」 ⑨ ⑩ の違いです。これがしっかり分かると、力学の法則も理解しやすくなります。

[引力と重力]

遠心力は赤道のほうが強く、極地方ほど弱い。そして地球内部の密度分布によって引力も異なる。よって重力は場によって異なる。

[質量と重さ]

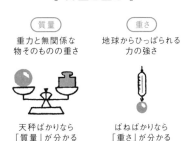

「質量」はどの重力下においても同じ数値になる。一方「重さ」は重力に応じた数値になる。たとえば重力が1/6の月では「重さ」も1/6になる。

[速度と加速度]

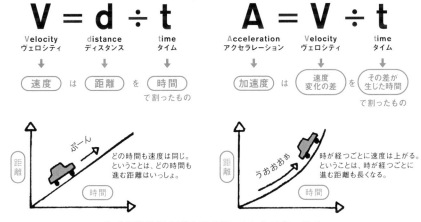

公式は英単語の頭文字を使ったものが多いので、
英単語になおせば公式は言語として理解できる。

⑤ ニュートン力学の基礎

さてこれらの意味が分かったうえで、ニュートン力学の運動３法則を学んでい
きましょう。

まずは３法則のひとつ目、「**慣性の法則** ⑪」です。平たくいえば、**止まっている
物体は止まり続けようとして、動いている物体は動き続けようとする法則**です。

[慣性の法則]

ここまで動くという「目的」があるから動き、
その「目的」が達せられたから止まったと考えた。

アリストテレス

※厳密には上下運動だが、便宜上、ここでは
水平運動のイメージで表している。

ニュートンの考え方 (デカルト、ガリレイも) ＝慣性の法則

（外から力の働かない条件では）
止まっているものは動かない。

（外から力の働かない条件では）
動いているものは同じ速度で
動き続ける（等速直線運動）。

止まったのは「空気抵抗・摩擦」などの
外からの「力」が働いたから。

ガリレイ　デカルト　ニュートン

次に３法則の二つ目、「 運動方程式 12 」です。平たくいえば、**力と加速度と質量の関係を表す法則**です。

[運動方程式]

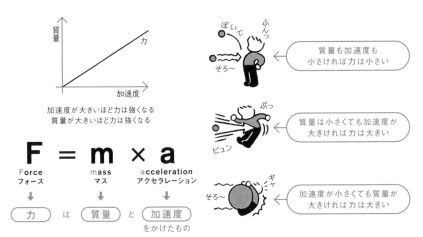

加速度が大きいほど力は強くなる
質量が大きいほど力は強くなる

$$F = m \times a$$

Force　　　mass　　　acceleration
フォース　　マス　　　アクセラレーション
↓　　　　↓　　　　↓
力　　は　質量　と　加速度
　　　　　　　　　　をかけたもの

質量も加速度も
小さければ力は小さい

質量は小さくても加速度が
大きければ力は大きい

加速度が小さくても質量が
大きければ力は大きい

この「力」を表す単位は **N（ニュートン）** 13 を用いることになっています。

力の大きさの単位はN（ニュートン）。質量1kgの物体に
毎秒毎秒1mの加速度を生じさせる力を1Nと定める。

ここで「重さ」の話に戻りましょう。「質量」とは異なり「**重さ**」**の正体は**「**地球からひっぱられる力の強さ**」でした。ということは「重さ」も「力」なので、N（ニュートン）で表せます。

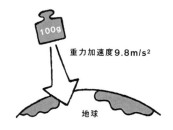

落下1秒後 ➡ 速度9.8m/s
落下5秒後 ➡ 速度49.0m/s
落下10秒後 ➡ 速度98.0m/s

地球が物体をひっぱる速度も加速する。これを「重力加速度g」という。

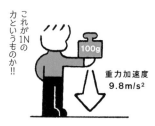

$$0.1kg \times 9.8m/s^2 = 0.98N \text{（ほぼ1N）}$$

mass（質量）　acceleration（加速度）　force（力）

100gのおもりを持つ重さが、ほぼ1Nの「力」とイメージすればよい。

最後に3法則の三つ目、「作用反作用の法則 ⑭」です。**平たくいえば、押すと同じ力で押される、ひっぱると同じ力でひっぱられる法則**です。

[作用反作用の法則]

両者の力は同じで、同一線上にある。

ジャンプできるのは地面を足で押す（作用）ことによる反作用の力による。

「熱」とは何か
―科学用語と熱力学の基礎知識―

❶ 「熱」は何でできているか

熱に関しての研究がさかんになったのは19世紀以降の 蒸気機関 ⑮ が活躍するようになってからですが、それまでも熱の研究は行われていました。かつて熱の正体は、「熱素」（カロリック）という物質と考えるのが主流でした。

[カロリック説 ⑯]

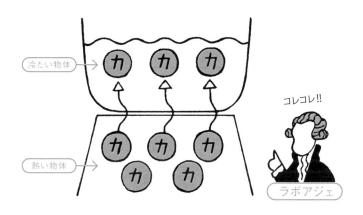

コレコレ!!

冷たい物体

熱い物体

ラボアジェ

「カロリック」という熱素が多い（＝熱い）物体から熱素の少ない（＝冷たい）物体に、
熱素が移動する現象を熱伝導と考えた。

しかし18世紀から19世紀の研究によって、**熱の正体は微粒子の運動**であることが明らかになりました。

その過程をお話しする前に、まずは物理学における「**力 ❶**」と「**仕事 ⑰**」と「**エネルギー ⑱**」の概念を理解しましょう。ここがきちんと分かることで熱力学の説明も分かるようになります。

[力（Force）]

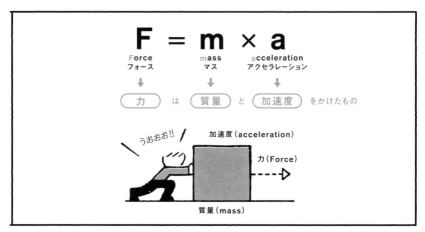

[仕事（Work）]

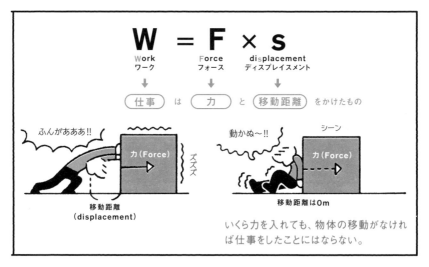

[エネルギー（Energy）]

❷ 「熱」の正体を暴き出す

では熱の正体が明らかになる過程をお話ししていきましょう。まずは18世紀末に、**力学的「仕事」が「熱」に変換される**ことが明らかになります。

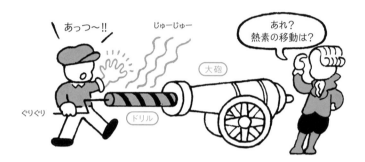

　大砲の砲身に穴をあける作業で鉄に熱が生じることをきっかけとして、熱素がなくても仕事だけで熱が生まれることを明らかにした（それでもまだこのころはカロリック説が有力）。

続いて19世紀に ジュール ⑥ によって、**「仕事」と「熱」が等価である**ことが導かれます。

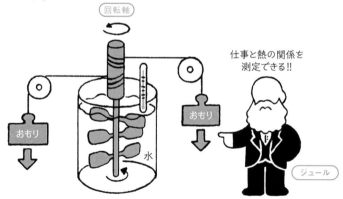

　おもりの落下する「仕事」によって回転する羽根車が水をかきまわす。それによって上昇する水温を測定した。それにより「仕事」と「熱」が等価であり、熱においても **エネルギー保存の法則** ⑲ が成り立つことを示した。

[熱の仕事当量]

1cal ≒ 4.2J (ジュール)[20]

ジュールの
人名からとった

熱量1 カロリー [21] はおよそ4.2Jの物理的な仕事の量

※1Jは1Nの力が物体を1m動かすときの仕事の量

さらに19世紀半ばに クラウジウス [7] らが 熱力学 [22] の法則と エントロピー [23] の概念を提唱します。

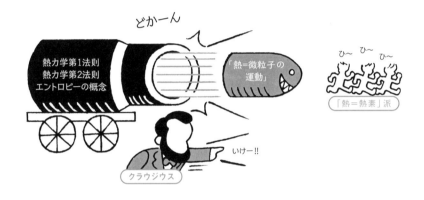

「熱＝微粒子の運動」を基礎に、熱力学の様々な法則が導かれていった。

これらの理論や発見によって、カロリック説は否定され、熱の正体は微粒子の運動だと明らかになりました。

③ 熱力学の基礎

ここでは熱力学の代表的な法則を見ていきましょう。まずは「**熱力学第1法則**」です。平たくいえば「**熱と仕事は等価であり、エネルギーは保存される**」です。

[熱力学第1法則]

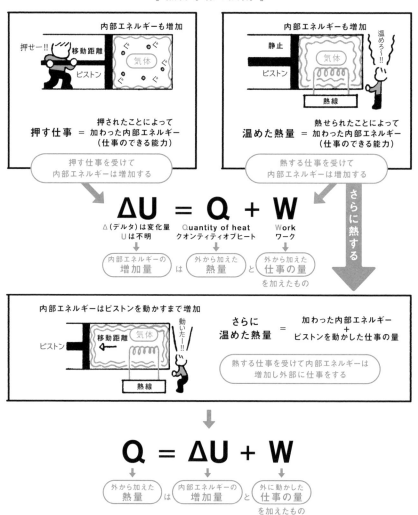

これは蒸気機関の仕組みとも重なりますので、ここで紹介しておきましょう。

[蒸気機関]

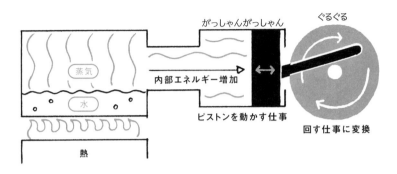

エネルギーが熱から仕事に変換したのが蒸気機関。熱力学第1法則にのっとっている。

次に「**熱力学第2法則**」です。平たくいえば「**熱いものは必ず冷める**」です。

[熱力学第2法則]

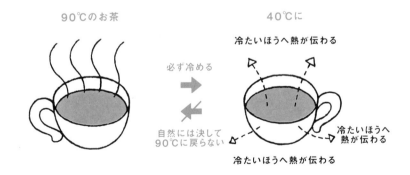

熱 24 は **温度** 25 の高いほうから低いほうに必ず伝わっていく。
それが自然に逆になることはあり得ない。

この第2法則は「エントロピー」の概念を使って説明することもできます。平たくいえば「**エントロピー（乱雑さ・不規則さ）は必ず増大する**」です。

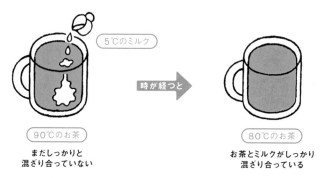

5℃のミルク

時が経つと

90℃のお茶

まだしっかりと
混ざり合っていない

80℃のお茶

お茶とミルクがしっかり
混ざり合っている

お茶とミルクが混ざり合っていないときは、
エントロピー（乱雑さ・不規則さ）はまだ小さい。

お茶とミルクが混ざり合ったときは、
エントロピー（乱雑さ・不規則さ）は増大して、
それが自然に逆になることはあり得ない。

最後に「**熱力学第3法則**」です。平たくいえば「 絶対零度 **26** で動きが止まる」です。

[熱力学第3法則]

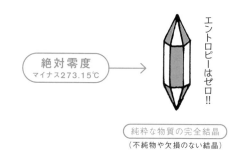

絶対零度
マイナス273.15℃

エントロピーはゼロ！！

純粋な物質の完全結晶
（不純物や欠損のない結晶）

物質は温度が下がることで「気体→液体→固体」になり、
物質内の原子の動きが小さくなる。そして絶対零度で動きは止まり、
エントロピーがゼロになる。

2-3 「電磁気」とは何か
―電気と磁気における単位と公式の理解―

❶ 「電気」と「磁気」の始まり

人間の 電気 ㉗ への関心は、古代ギリシアの時代、こすられた「琥珀」が羽毛を引きつけることから始まります。

琥珀のギリシア語「エレクトロン」をもとにして、
電気を表す「electricity」（エレクトリシティ）という語がつくられたとされる。

そして人間の 磁気 ㉘ への関心は、同じく古代ギリシアの時代、ギリシアのマグネシア地方の石が鉄を引き寄せることから始まります。

マグネシア地方で採れた「マグネシアの石」をもとにして、
磁石を表す「magnet」（マグネット）という語がつくられたとされる。

時は18世紀になり、電力と磁力には二つの **極** ㉙ があることが発見されると、**異なる二つの極が引き合ったり離れたりする力は距離の２乗に反比例する**という法則を、**クーロン** ⑧ は導きます。後にクーロンは **電荷** ㉚ の単位（クーロン）になりました。

[クーロンの法則]

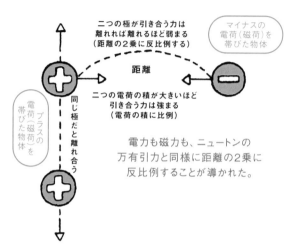

二つの極が引き合う力は
離れれば離れるほど弱まる
（距離の２乗に反比例する）

マイナスの
電荷（磁荷）を
帯びた物体

距離

プラスの
電荷（磁荷）を
帯びた物体

同じ極だと離れ合う

二つの電荷の積が大きいほど
引き合う力は強まる
（電荷の積に比例）

電力も磁力も、ニュートンの
万有引力と同様に距離の２乗に
反比例することが導かれた。

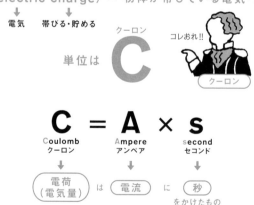

電荷（electric charge）＝ 物体が帯びている電気・電気の量

電気　　帯びる・貯める

単位は

クーロン

C

コレおれ!!

クーロン

$$C = A \times s$$

Coulomb
クーロン

Ampere
アンペア

second
セコンド

電荷
（電気量）
は
電流
に
秒
をかけたもの

電流が強ければ電荷は大きくなり、電流を送る時間が長ければ電荷も大きくなる。

18世紀末には **ボルタ** ⑨ が**ボルタ 電池** ㉛ を発明します。後にボルタは電圧の単位（ボルト）になりました。

[ボルタ電池]

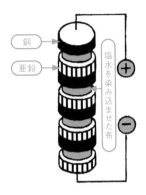

銅
亜鉛
塩水を染み込ませた布
＋
－

電池の発明によって安定した電力がいつでも手に入るようになり、
電磁気学の発展につながった。

電圧 (voltage) ＝ 電荷を押し流す圧力のようなもの。実際は
2点間の電位（電荷を運ぶエネルギー）の差

単位は
ボルト
V

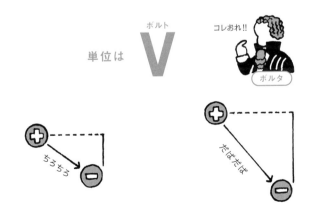

コレおれ!!
ボルタ

ちろちろ
だばだば

電位の差が小さい ＝ 電圧が低い　　　電位の差が大きい ＝ 電圧が高い

❷ 「電気」と「磁気」とのつながり

かつては電気と磁気は別のものとして研究されていましたが、19世紀前半に
アンペール ⑩ が**電気と磁気の密接なかかわり**を導きます。後にアンペール
は電流の単位(アンペア)になりました。

[右ねじの法則]

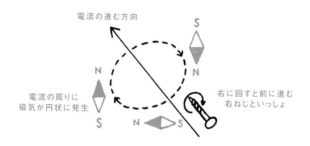

電気と磁気は別ものではなく、電気と同時に磁気も発生することが分かった。
しかも電流の方向と磁気の方向にも法則性があった(**右ねじの法則** ㉜)。

電流(electric current) = 電荷が導体を流れる現象
　↓　　　　　↓
　電気　　　流れ

コレおれ!!

電流の強さ(流れた電荷量)を測る単位は

アンペア

A

アンペール

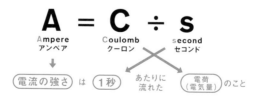

1秒あたりに流れた電荷が多いほど、電流の強さが大きかったことになる。

そして **オーム** ⑪ は**電圧と電流と抵抗の関係を表す「オームの法則」**を導きます。後にオームは抵抗の単位(オーム)になりました。

[オームの法則]

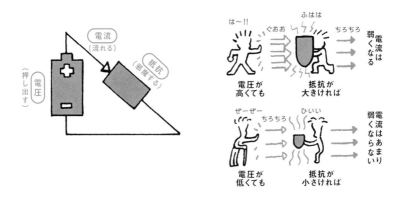

電気抵抗(electric resistance) = 電気の流れを妨げる「流れにくさ」の量

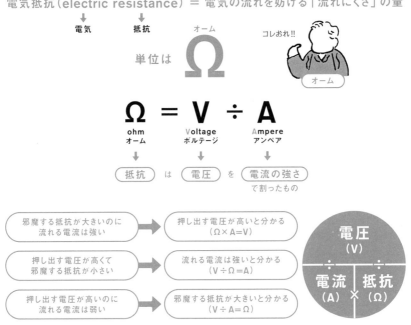

同じく19世紀に **ファラデー** ⑫ は電気と磁気の相互作用に関する「**電磁誘導** ㉝ **の法則**」を導きます。

[ファラデーの電磁誘導の法則]

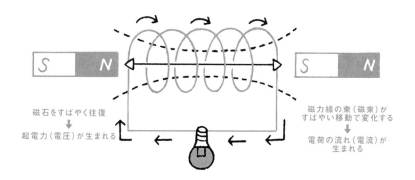

磁石をすばやく往復
↓
起電力（電圧）が生まれる

磁力線の束（磁束）が
すばやい移動で変化する
↓
電荷の流れ（電流）が
生まれる

アンペールの「右ねじの法則」は「電気の流れが磁気を生む」ことを示したが、
ファラデーの「電磁誘導の法則」は「磁気の変化が電気を生む」ことを示した。

ファラデーもかつては電荷の単位（ファラデー）でした。現代では電荷の単位は
すべてクーロンに置き換えられています。

単位はＦではなく

こうして電気と磁気とは不可分の関係であることが明らかになったため、両者
をまとめて「電磁気」と呼ぶようになりました。

❸ 電磁気学の進化

ファラデーは電磁誘導の法則だけでなく、**近接作用** ㉞ の原理を導き、**電場や磁場** ㉟ といった「**場** ㊱」の**概念**を提唱します。

[遠隔作用の考え方]　　　　　[近接作用の考え方]

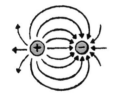
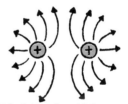

電気力線が**短く**なろうとしている　　　電気力線が**広がろう**としている

電気の周りの空間には見えないゴム糸のような「何か」が伸びていて、
そのエリアが「場」として様々な力を伝えていると考えた。
（現代ではその「場」の正体は「**光子** ㊲」と考えられている）。
（詳しくは『 **Chap.4** **量子論**』でお話しします）

そこから **マクスウェル** ⑬ により **電磁波** ㊳ の**存在**が**予言**されました。そして **ヘルツ** ⑭ がその存在を証明しました。後にヘルツは **周波数** ㊴ の単位（ヘルツ）になりました。

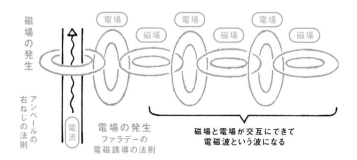

マクスウェルは空間を飛びかう電磁波の存在を予言し、光も電磁波であることを説いた。

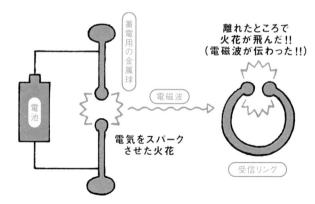

電気をスパークさせる実験をしたところ、偶然離れたところで火花ができるのを
ヘルツは目撃した。これをきっかけに電磁波の存在を証明できた。

周波数（frequency）＝ 1秒間にくり返される周期的な変化の回数

このように電磁気学は発展していったのですが、ではそもそも「電流」とは何なのか。それは**原子の中にある 電子 ㊵ の移動**です。この電子の発見が、20世紀の原子物理、そして量子論の発展につながっていきます（『 Chap.4 **量子論**』）。

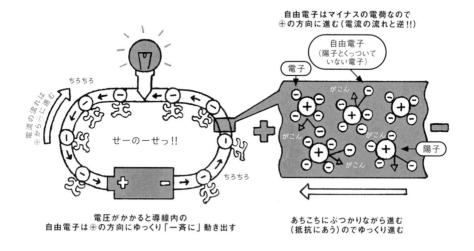

自由電子はマイナスの電荷なので
⊕の方向に進む（電流の流れと逆!!）

自由電子
（陽子とくっついて
いない電子）

電子

陽子

ちろちろ

電流の流れは
⊕から⊖に進む

せーのーせっ!!

がこん

がこん

がこん

がこん

ちろちろ

電圧がかかると導線内の
自由電子は⊕の方向にゆっくり「一斉に」動き出す

あちこちにぶつかりながら進む
（抵抗にあう）のでゆっくり進む

19世紀末に陽子と電子が発見されたことによって、
電流のメカニズムが分かった。⊕から⊖に進む電流は想像の産物でしかなく、
現実は⊖から⊕に進む自由電子の一斉移動だった。

これで物理学の章は以上です。次の章からは、ここで学んだ基礎をもとにして、相対性理論の基本を理解していきましょう。

物理学 | **Physics**

KEYWORD & KEYPERSON
重要用語と重要人物を掘り下げる

私たちの日常世界における「力」の原理や法則は、ガリレイやニュートンなどによって導かれ、そして後に古典力学として体系化されました。また、「熱」の正体については中世から様々な論争がありましたが、産業革命をきっかけに熱力学として発展を遂げることになりました。そして「電気」と「磁気」ですが、それまで別々のものとして研究されていたものが近代になり「電磁気」としてひとつになり、この研究成果は現代の私たちの生活に欠かせないものとなっています。

※これまでの**Chapter**ですでに登場したワードは、簡単な意味のみ再掲しています。

2-1
「力」とは何か
科学用語と力学法則の基礎知識

KEYWORD

❶ 力
power / force

force は物体を変化・変形させる作用。power は仕事や活動をするための力や能力。

➡ force は物理学で用いられる特有な意味合いと捉えてよい。

❷ ケプラーの法則
Kepler's laws

ケプラーが発見した、惑星の運動にかかわる三つの法則。

➡ ①惑星の運動は楕円軌道であり、その焦点のひとつに太陽がある。②太陽と惑星を結ぶ直線は一定の時間で常に同じ面積を描く。③惑星の公転周期の2乗と太陽からの平均距離の3乗は比例する。
これら三つの法則の発見はニュートンの万有引力の法則の発見につながった。

❸ 万有引力の法則
law of universal gravitation

すべての物体と物体との間で引き合う力（万有引力→P.34）の大きさは、それぞれの物体の質量の積に比例し、距離の2乗に反比例するという法則。

❹ ニュートン力学
Newtonian mechanics

ニュートンの運動法則を基礎にしてつくられた力学の理論体系。

➡相対性理論と量子力学に対するものとして古典力学（classical mechanics）ともいう。ただ現在ではニュートン力学と相対論力学をまとめて古典力学としている。

❺ 引力
attraction

二つの物体が互いに引き合う力。

➡質量を持った物体どうしが引き合う力を万有引力といい、逆に離れ合う力を斥力という。ちなみに、反対符号の電荷が引き合い、同じ符号の電荷が離れ合う力をクーロン力という（→P.58）。

❻ 重力
gravity

地球上の物体に働く、地球の万有引力と、地球の自転による遠心力との合力。

➡赤道付近や標高の高い山の頂上では遠心力が強くなるため、引力は変わらなくても重力は弱くなる。

❼ 質量
mass

物体に含まれる物質の量。

➡どのような環境にあっても変化しない、物体そのものの重さと考えてよい。

⑧ 重さ
weight

物体に働く重力の大きさ。

➡赤道付近や標高の高い山の頂上では重力は弱くなるため、重さも軽くなる。

⑨ 速度
speed / velocity

speedは物事の進む速さ。velocityは物体の特定の方向に向かって移動する速度。

➡「速さ」と「速度」という言葉は、日常生活においては強いて使い分けないが、物理学においては厳密に区別される。

⑩ 加速度
acceleration

一定時間内における速度の変化の割合。

➡等加速度直線運動とは、加速度が時間とともに変化せずに一定な運動のこと。

⑪ 慣性の法則
law of inertia

外から力が働かない条件ならば、静止している物体は静止し続け、等速直線運動をしている物体は等速直線運動をし続けるという法則。

➡たとえば、運転中のバスに乗っているときに、バスが急ブレーキをかけたとする。すると乗客は前のめりになってしまう。これはバスが止まっても前に進み続けようとする力が働いているからといえる。この前のめりにさせる力を慣性力という。慣性力の大きさは質量に比例する。

⑫ 運動方程式
equation of motion

物体の運動についての基本方程式。

➡ニュートン力学では運動の第2法則として示されて、$F = ma$という形で表される。

⑬ ニュートン / N（単位）
newton

国際単位系における「力」の単位。

➡1Nは1kgの質量の物体に働いて、毎秒毎秒1mの加速度を生じさせる力。日本では2002年以降、義務教育で用いられるようになった。それ以前は「N」ではなく「kg重」（地球上で質量にかかる重力）で表していた。

⑭ 作用反作用の法則
law of action and reaction

ある物体が他の物体に作用を及ぼすときは常に、それとは逆向きで大きさの等しい反作用が働くという法則。

➡たとえば、人が銃を撃ったときには体に反動を受けるが、これは、発砲するために銃弾に加えた力の反作用を感じている現象といえる。

KEYPERSON

① ニュートン 　⬅Chapter1

Isaac Newton（1642〜1727）

イギリスの物理学者・天文学者・数学者。

➡物理学者としてのニュートンといえば、りんごが落ちる様子を見てひらめきを得た話が有名だが、どうやらこれは作り話らしい。1660年代半ばの、当時イギリスで大流行したペストの難を逃れるために帰郷したたった1年半の間に、万有引力や運動方程式などの研究を大きく進展させたそうである。そのときに滞在していた実家の庭にあったりんごの木は「ニュートンのりんご」と呼ばれ、接ぎ木されて繁殖した子孫の木は今も世界中で植えられている。

② ガリレイ 　⬅Chapter1

Galileo Galilei（1564〜1642）

イタリアの物理学者・天文学者。

➡物理学者としてのガリレイといえば、ピサの斜塔における落下実験で有名だが、これは弟子による作り話で、実際は斜めのレールにボールを転がす実験だったらしい。しかし、重いもののほうが速く落下するという古代ギリシアからの常識を、実験と観察によってくつがえした功績は大きい。

③ ケプラー

Johannes Kepler（1571〜1630）

ドイツの天文学者。

➡惑星の運動は円軌道であるという当時の常識をくつがえし、楕円軌道による惑星運動の法則を導き出した。

④ オイラー

Leonhard Euler（1707〜1783）

スイスの数学者・物理学者。

➡オイラーといえば偉大な数学者として有名だが（→P.197）、ニュートン力学を発展させた物理学者としても多くの功績を残した。剛体に関する運動方程式や完全流体に関する運動方程式など、オイラーの名前がつく「オイラーの（方程）式」は数多く知られている。

⑤ ラグランジュ

Joseph Louis Lagrange（1736〜1813）

フランスの物理学者・数学者。

➡ニュートン以後の力学を解析学（→P.196）としてまとめ上げた『解析力学』（1788）は不朽の名著といわれる。

2-2
「熱」とは何か
科学用語と熱力学の基礎知識

KEYWORD

⑮ 蒸気機関
steam engine

蒸気による熱エネルギーを機械的仕事に変換させる原動機。

➡18世紀後半の産業革命の一大動力となった。そして熱力学発展の礎にもなった。それは、科学・技術・経済活動が互いに密接に結びつく、今日の社会のあり方と深くつながっているともいえる。

⑯ カロリック説
caloric theory

「熱」を熱素（カロリック）と呼ばれる物質と捉えて、熱素の量で物体の温度が決まるとする考え方。

➡カロリック説の他にも、燃焼という現象について、「燃素」（フロギストン）と呼ばれる物質が物体から抜け出る現象を「燃焼」と考えるフロギストン説が存在していた。

⑰ 仕事
work

力学における、物体に加えた力（force）と、それにより動いた移動距離との積。

➡ちなみに一般的な「仕事」の意味は、何かを成し遂げるための行動や職業などを表す。

⑱ エネルギー
energy

物体などが「仕事」をできる能力。

➡力学・光・電気・熱・化学・原子などのエネルギーがあり、相対性理論によると、質量そのものもエネルギーの一形態といえる。

⑲ エネルギー保存の法則
law of conservation of energy

外界から遮断された条件なら、エネルギーが移動したり変化したりしてもその総和は変わらないという法則。

➡はじめは力学において、位置エネルギーから運動エネルギーに変わってもエネルギーは形を変えるだけで総和は変わらないことで、エネルギー保存の法則が導かれた。次にジュールらによって熱においてもエネルギー保存の法則が成り立つことが分かった。さらに質量・電磁気・化学・原子など、あらゆる自然現象に当てはまる基本法則のひとつとなった。

⑳ ジュール / J（単位）
joule

エネルギー、仕事量、熱量、電力量で用いられる単位。

➡定義としては、「1 Nの力がその力の方向に物体を1 m動かすときの仕事の量」になる。これは熱量を測るうえでも、電力量を測るうえでも用いられる。

㉑ カロリー / cal（単位）
calorie

1気圧のもとで、水1 gの温度を1℃上げるのに必要な熱量。

➡ラテン語で「熱」を意味するcalorが語源。

㉒ 熱力学

thermodynamics

熱と仕事との基本的関係と、熱現象の根本法則を扱う学問。

㉓ エントロピー

entropy

乱雑さ、不規則さを表す量。

➡ギリシア語で「反転する働き」を表すentropēから、クラウジウスが名付けた。

㉔ 熱

heat

温度を変化させるエネルギーの一形態(熱エネルギー)。

➡高温の物体から低温の物体に移動する熱エネルギーの量を数値化したものを熱量という。熱量の単位はJ(ジュール)、cal(カロリー)など。

㉕ 温度

temperature

物体の温かさや冷たさを示す尺度。

➡物体中の分子や原子の運動エネルギーの平均値が温度である。単位は℃(摂氏)、K(ケルビン)など。

㉖ 絶対零度

absolute zero point

熱力学的に考えられる最低温度。絶対温度では0K(ケルビン)。摂氏温度では−273.15℃。

➡絶対零度では分子や原子の運動エネルギーがゼロになり、熱が存在しなくなりエントロピーもゼロになる。しかしその温度は到達不可能である。

KEYPERSON

⑥ ジュール

James Prescott Joule(1818〜1889)

イギリスの物理学者。

➡原子論で有名なドルトン(→P.226)から学んだ他は、自宅の実験室にてほぼ独学で研究を重ねた。電流の熱作用に関する「ジュールの法則」の発見、熱と仕事の関係を測定した「ジュールの実験」、トムソンと協力して発見した「ジュール=トムソン効果」など、多数の業績を残す。

⑦ クラウジウス

Rudolf Clausius(1822〜1888)

ドイツの物理学者。

➡従来のカロリック説をくつがえし、エネルギーの概念を用いて熱力学第1法則を定式化した。また、エントロピーの概念を用いて第2法則を定式化した。その他にも多くの業績をあげて、熱力学の体系化に寄与した。

2-3
「電磁気」とは何か
電気と磁気における単位と公式の理解

KEYWORD

㉗ 電気
electricity
電流や放電など、様々な電気現象のもととなるもの。
➡電荷や電流や電気エネルギーを指していうときが多い。

㉘ 磁気
magnetism
磁石の相互作用や、磁石と電流との作用など、磁気力のもととなるもの。
➡磁荷（磁力のもととなる実体）自体は実はまだ見つかっていない。

㉙ 極
pole
最も強いところ。果てにあるところ。
➡磁極はN（正）極とS（負）極に分かれる。電極は陽（正）極と陰（負）極に分かれる。

㉚ 電荷
electric charge
物体が帯びている電気・電気の量。
➡陽子はプラスの電荷を帯び、電子はマイナスの電荷を帯びる。

㉛ 電池
battery
熱・光・化学エネルギーなどを電気エネルギーに変換する装置。
➡電気を貯めておく装置というよりも、化学反応などによって恒常的に一定の電気エネルギーを発電し続ける装置といったほうがふさわしい。

㉜ 右ねじの法則
corkscrew rule
電流の進む方向に合わせて右回りに磁気が発生する法則。
➡磁気の進む方向に合わせて電流も発生（電磁誘導）するが、これも右ねじの法則と同様に右回りに発生する。

㉝ 電磁誘導
electromagnetic induction
磁場の変化によって回路に起電力（誘導起電力）が生じる現象。
➡ちなみに駅の改札等で使うICカードは、電磁誘導の法則で発生した電気を電源とすることで、電池のないカードでデータ通信を可能にしている。

㉞ 近接作用
action through medium
離れて存在する二つの物体が及ぼし合う力が、それらの間に存在する媒質（場）を媒介して伝わること。
➡たとえばスピーカーから出される音は、私たちの耳と耳との間にある空気を媒質として、送り届けられている。

㉟ 電場・磁場

electric field / magnetic field

電場は、電荷の分布によって生じる、電気的な力の働く空間。磁場は、磁石や電流の周りに生じる、磁力の働く空間。

㊱ 場

field

何らかの作用を持ち、現象を生じさせる空間のこと。

㊲ 光子

photon

電磁気力を伝える光の粒子。

➡光は「波」と「粒子」両方の特徴をあわせ持つ特別な存在だが、その「粒子」の側面を光子と呼ぶ。その光子が、電磁気力を伝える媒質の正体だと、量子力学では考えられている(→P.122)。

㊳ 電磁波

electromagnetic wave

電場と磁場との交互変化が波動として空間を伝わっていくもの。

➡波長の短いほうからガンマ線・エックス線・紫外線・可視光線・赤外線・電波に分類される。

㊴ 周波数

frequency

電波や音波などが1秒間にくり返す波のサイクルの回数。

➡ちなみに周波数の幅(帯域幅)が広ければ広いほど、多くのデータを含み、高速データ通信が可能となる。

㊵ 電子

electron

原子の中で、原子核の周りに分布する素粒子。負の電荷を持つ。

➡電子は19世紀後半に発見された、初めての素粒子(物質を構成する最小単位)。

KEYPERSON

⑧ クーロン

Charles Augustin de Coulomb（1736〜1806）
フランスの物理学者。

➡ねじりばかりの実験によって1785年に電気力や磁気力に関する「クーロンの法則」を導いた。これにより、電気や磁気を定量的に研究することが可能になった。この功績により、電荷の単位名は「クーロン」になった。

⑨ ボルタ

Alessandro Volta（1745〜1827）
イタリアの物理学者。

➡異なる金属を接触させることで電気が発生することを突き止めて、銅板と亜鉛板を組み合わせた「ボルタ電池」を発明した。これにより定常的に電力を得られるようになり、電磁気学の発展の大きなきっかけとなった。ちなみに彼はナポレオンの前で電気実験を披露し、金メダルと勲章を授与されている。

⑩ アンペール

André Marie Ampère（1775〜1836）
フランスの物理学者。

➡電流が磁気に与える影響を実験により数学的に解析して、電流と磁気の関係についての「右ねじの法則」を発見し、電磁気学の基礎を築いた。

⑪ オーム

Georg Simon Ohm（1789〜1854）
ドイツの物理学者。

➡電磁気の実験研究により、「オームの法則」を導いた。

⑫ ファラデー

Michael Faraday（1791〜1867）
イギリスの化学者・物理学者。

➡電流から磁気を生み出すとは逆に、磁気から電流を生み出せないか実験を重ね、コイルに棒磁石を移動させることで電流を生み出し、「電磁誘導の法則」を導くことができた。また、力の「場」の概念を提唱した。

⑬ マクスウェル

James Clerk Maxwell（1831〜1879）
イギリスの物理学者。

➡ファラデーの「場」の概念を定式化することで、電磁気学の理論体系化に成功した。そこから電磁波の存在を予言し、光の電磁波説の基礎をつくった。

⑭ ヘルツ

Heinrich Rudolf Hertz（1857〜1894）
ドイツの物理学者。

➡マクスウェルの予言した電磁波について研究し、実験によってその存在を証明した。さらにそれが光と同じ性質であることも実証した。

3
Chapter.

The Most Intelligible Guide
of General Knowledge in the World

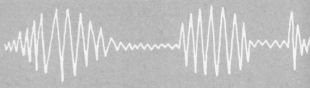

相対性理論
Theory of relativity

時間と空間の常識がこわれるとき

この章では、相対性理論とはどのようなものなのかを、素人でもなるべく分かるように説明していきます。難しい数式や難解な理論は避けて、「イメージ」として学んでいきます。

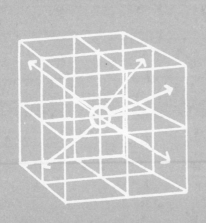

ENRICH YOUR EDUCATION
教養を豊かにする

🔍 登場する主なキーワード

☑回折	☑干渉	☑光電効果	☑慣性系
☑絶対	☑相対	☑光速度不変の原理	☑E＝mc²
☑核分裂	☑特殊相対性理論	☑一般相対性理論	☑座標系
☑時空のひずみ	☑重力レンズ効果	☑GPS	

「光」とは
―光は「波」か、それとも「粒子」か―

❶ 光とは「波」か「粒子」か

光の研究は古代ギリシアから存在しましたが、17～18世紀では ニュートン ① は光の正体を「粒子」とし、同時代のホイヘンスは光の正体を「波」としました。

光を粒子と考えれば、
障害物に光の粒子がさえぎられるために、
影は真っ暗でくっきりのはず

とにかく光は粒子じゃ～!!

障害物

ニュートン

しかし影は薄暗くてぼんやり

17～18世紀の科学界ではニュートンの
威光が大きかった。そのためニュートンの
唱える粒子説が主流となった。

光を波と考えれば、障害物に波が当たると波が
折れて回り込む現象（ 回折 ① ）として、
影に光が当たっていることも説明がつく

光は波じゃ～!!

障害物

ホイヘンス

光を波と考えれば、影の境界が
くっきりではなくぼんやりなのも説明がつく

光を波と考えたほうが説明がつきやすいが、
それが認められるためにはさらなる研究と
証明が必要だった。

以降、19世紀までの様々な研究によって、光の正体は「波」だと考えられるようになっていきました。

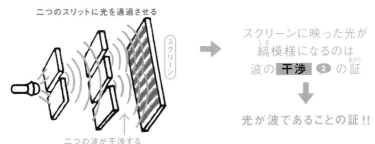

二つのスリットに光を通過させる

スクリーン

二つの波が干渉する

スクリーンに映った光が
縞模様になるのは
波の 干渉 ❷ の証

↓

光が波であることの証!!

二つのスリット（細長いすきま）を通過した光を観察したヤングの干渉実験は、
光が波であることの有力な証拠となった。

しかし**波はあくまでも「状態」であって物質ではありません。**ということは、私たちに光という波が届くためには、**波という状態をつくる「何か」がなければなりません。**そこでその「何か」に「**エーテル** ③」という概念が利用されました。

波は「水」を 媒質 ④ としてできる

音は「空気」を媒質としてできる

では光は「何」を媒質としてできる?

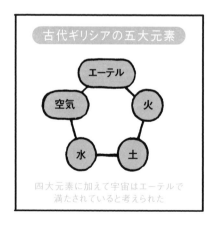

古代ギリシアの五大元素

四大元素に加えて宇宙はエーテルで
満たされていると考えられた

光のエーテル媒質説

エーテルがゆれて波となる

アリストテレスの提唱したエーテルの概念は、17世紀以降の科学でも用いられ、
光を伝える媒質の役割を持つと考えられた。

しかし19世紀後半に **マクスウェル** ② によって、光の正体は **電磁波** ⑤ の
ひとつと分かりました。それはエーテルのような **「何か」を必要とせずに波を
つくるもの**でした。

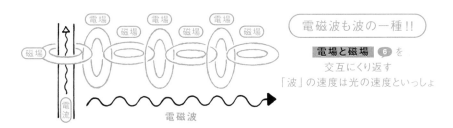

光の正体は「電場」と「磁場」が交互にできる波だったので、
エーテルを必要としないものだった。
※ただしまだ当時はエーテルの存在を完全否定しきれていなかった。

現代では **周波数** ⑦ の大きさに応じて、電磁波は様々な「線」として明らかに
されています。

[周波数に応じた電磁波の分類]

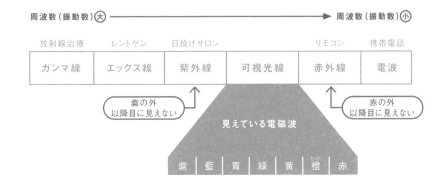

② アインシュタインの登場

金属板に光を当てることで電子がとび出る現象を「**光電効果** ⑧」といいますが、19世紀以前の科学ではこの現象をうまく説明できませんでした。

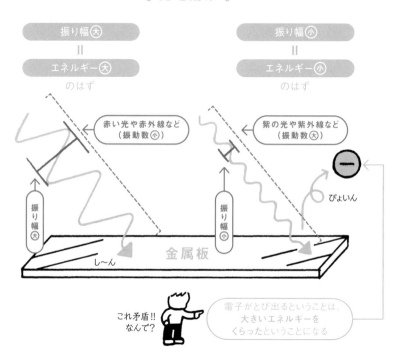

[光電効果]

光が波である以上、**エネルギー** ⑨ の大きさは振動数ではなく振り幅の大きさによるはず。しかし振動数の小さい赤外線などの振り幅をどれだけ大きくしても電子はとび出ず、逆に振動数の大きい紫外線などの振り幅をどれだけ小さくしても電子はとび出た。この矛盾に多くの科学者たちは首をひねった。

ここで科学研究の舞台に **アインシュタイン** ③ が登場します。**光そのものは粒子**であり、光の粒子が金属板にある電子をはじき出すと彼は考えました。

[光量子仮説]

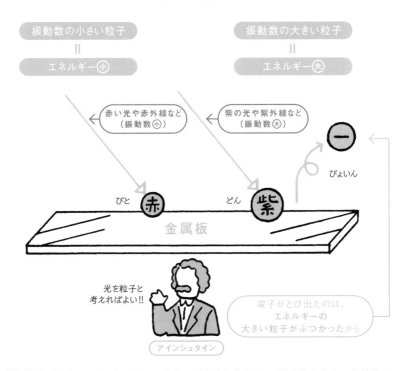

振動数の小さい粒子
＝
エネルギー小

振動数の大きい粒子
＝
エネルギー大

赤い光や赤外線など
（振動数小）

紫の光や紫外線など
（振動数大）

ぴょいん

ぴと　赤　　どん　紫

金属板

光を粒子と
考えればよい!!

電子がとび出たのは、
エネルギーの
大きい粒子がぶつかったから

アインシュタイン

光を「振動数が大きいほどエネルギーの大きい粒子」と考えると、振動数の小さい赤外線などはひとつぶのエネルギーが小さいので電子はとび出ない。逆に振動数の大きい紫外線などはひとつぶのエネルギーが大きいので電子はとび出る。

しかし**光が波のひとつである**ことは否定できません。そこで、光は**「波と粒子の両方の性質を持つ『量子』」**のひとつであるとされ、光の粒子のことを「 **光子** ⑩ 」（光量子）と呼ぶようになりました。

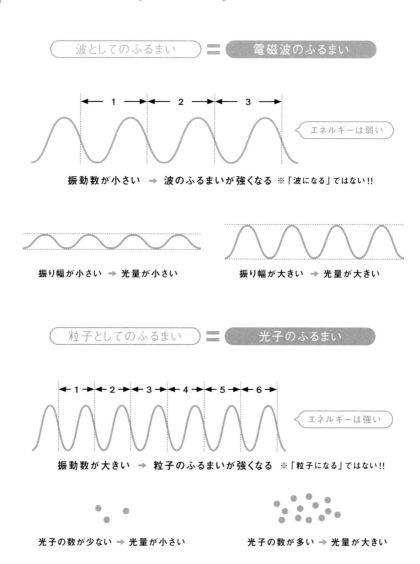

光は「あるときには波であり、あるときには粒子である」というものではない。「波であると同時に粒子である」という、「物質」（粒子）と「状態」（波）が重なり合っているという常識上あり得ない存在である。ただ光は質量が存在しないために、粒子とはいっても物質とはいいがたく、そういうものだと納得はしやすかった。しかしやがて、質量のある物質でありながらも、光のように粒子と波の重なり合った存在が発見されていく（『 Chap.4 量子論』）。

3-2 「相対性理論」とは
―光とは「相対」か、それとも「絶対」か―

「光」とは何か。それは、「波」でもあり「粒子」でもあるという、常識をくつがえすものでした。それだけではありません。「光」はさらに驚くべき性質を持っています。これから本章の中心である、相対性理論についてお話ししていきましょう。

1 光の速度が変わらない

時速50kmで走る電車の中で、地上で投げられた時速100kmのボールを見たとしたら、そのボールは時速50kmに、遅く見えます。

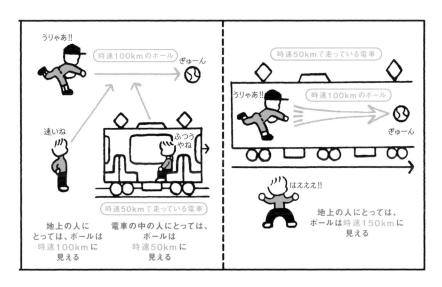

「地上という **慣性系** ⑪ 」にいる人と「電車の中という慣性系」にいる人は、お互いに相手が自分から時速50kmの等速で遠ざかっているように見える。このような場合、**ガリレイの相対性原理** ⑫ によると二つの慣性系は同じ運動法則が成り立つため、時速の足し算や引き算を自由に行うことができる。

とすれば、**光速** ⑬ に近い速度の乗り物の中で、地上から発せられた光を見たとしたら、その**光は光速よりも遅く見えるはず**です。

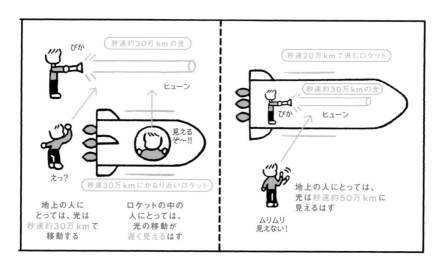

しかし、どこから光を発しても、それをどこから見ても、**光の速度は遅くもならず速くもならず、常に同じ速度**だったのです。

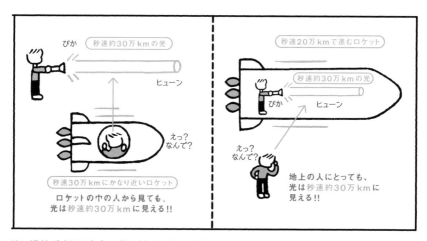

どの慣性系（同じ速度で動き続ける立ち位置）から発した光も、それをどの慣性系から見ても、なぜかすべて同じ秒速約30万kmで観察できてしまう。

2 特殊相対性理論

多くの科学者はこれを不思議に思いました。それは**時間**と**空間**が「**絶対** ⑭ 」で
あると思い込んでいたからです。

時はいつでもどこでも変わらず
同じ速度で流れ続ける（絶対時間）

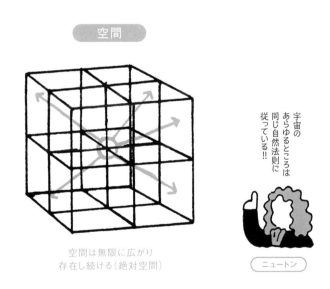

空間は無限に広がり
存在し続ける（絶対空間）

宇宙の
あらゆるところは
同じ自然法則に
従っている!!

ニュートン

私たちは、ニュートンと同じように、時間と空間はどこでも変わらない
「絶対的」なものであると捉えてしまっている。

「どの慣性系であっても時間の速度と空間の仕組みは変化しない」という基準で考えると、それに合わせて**光の速度は「 相対 ⑮ 」的に変化しないとおかしいのです。

[私たちの常識]

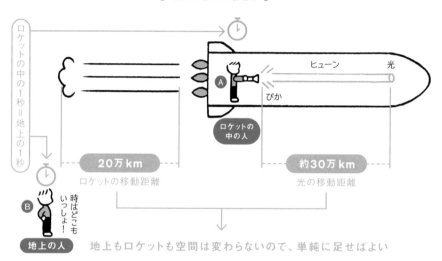

ロケットの中の1秒＝地上の1秒

ヒューン　光

A　ロケットの中の人

ぴか

20万km
ロケットの移動距離

約30万km
光の移動距離

B　地上の人
時はどこもいっしょ！

地上もロケットも空間は変わらないので、単純に足せばよい

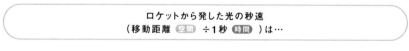

ロケットから発した光の秒速
（移動距離 空間 ÷1秒 時間 ）は…

Ⓐ ロケットの中の人から見ると　光の移動距離 ［約30万km］　÷　①秒　＝　**秒速約30万km** …のはず

時間と空間は「絶対」なので、立ち位置は違えど変化しない　　　光の速度が「相対」的に変化

Ⓑ 地上の人から見ると　（ ロケットの移動距離 ［20万km］ ＋ 光の移動距離 ［約30万km］ ）　÷　①秒　＝　**秒速約50万km** …のはず

しかしアインシュタインは、**光の速度を「絶対」の不変の原理**としました。「どの慣性系であっても光の速度は変化しない」ことを正しいほうにしたのです。そして**時間と空間のほうが、光の速度に合わせて「相対」的に変化する**と考えたのです。

[アインシュタインの立場]

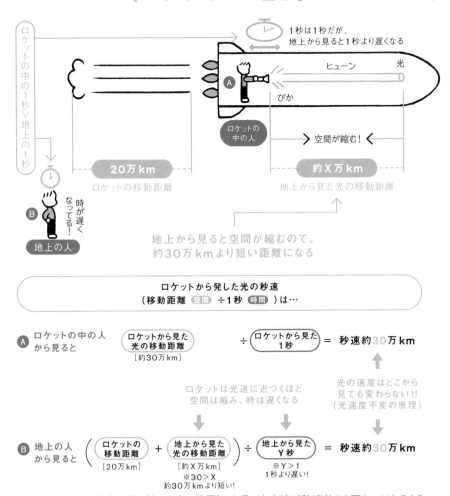

ロケットの中の1秒∨地上の1秒

1秒は1秒だが、地上から見ると1秒より遅くなる

ヒューン　光

Ⓐ　ロケットの中の人

ぴか

空間が縮む!

20万km
ロケットの移動距離

約X万km
地上から見た光の移動距離

Ⓑ　時が遅くなってる!

地上の人

地上から見ると空間が縮むので、約30万kmより短い距離になる

ロケットから発した光の秒速
（移動距離 空間 ÷1秒 時間 ）は…

Ⓐ ロケットの中の人から見ると　| ロケットから見た光の移動距離 [約30万km] | ÷ | ロケットから見た1秒 | = 秒速約30万km

光の速度はどこから見ても変わらない!!
（光速度不変の原理）

ロケットは光速に近づくほど空間は縮み、時は遅くなる

Ⓑ 地上の人から見ると　(ロケットの移動距離 [20万km] + 地上から見た光の移動距離 [約X万km] ※30＞X 約30万kmより短い!) ÷ 地上から見たY秒 ※Y＞1 1秒より遅い! = 秒速約30万km

どの慣性系（同じ速度で動き続ける立ち位置）から見ても光速が秒速約30万kmになるように、時間と空間が「相対」的に変化すると、アインシュタインは発想を転換した。

ニュートン力学によると、質量のある物体に送るエネルギーが大きければ大きいほど、その物体の移動する速度は大きくなります。

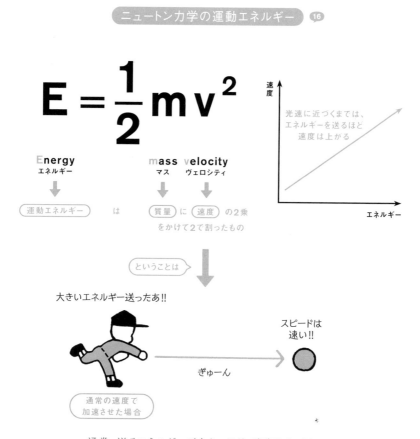

通常、送るエネルギーが大きいほど、速度は上がる。

しかし、速度が光速に近づいてくると、どれだけエネルギーを送り込んでも、光の速度をこえることはできません（**光速度不変の原理** ⑰ のもとでは、あらゆる物質は光速に届きません）。したがって、送り出されたエネルギーは速度にまわらずに、物体の質量を増大させるほうに働きます。

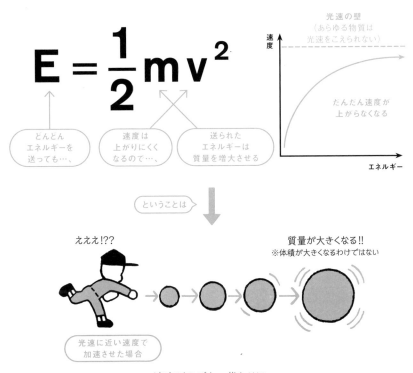

速度がのびない代わりに、
エネルギーを送れば送るほど質量が大きくなる。

これを突き詰めると、質量とはエネルギーそのものであり、さらに突き詰めることで、アインシュタインを象徴する公式 **E＝mc²** ⑱ が成立します。これを応用したものが、核兵器や核施設で用いられる **核分裂** ⑲ なのです。

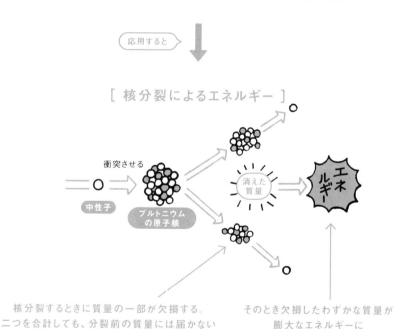

アインシュタインの公式

$$E = m c^2$$

Energy
エネルギー

mass
マス

celeritas
ケレリタス

エネルギー は 質量 に 光の速度 の2乗
をかけたもの

光の速度は不変なので、質量そのものが実はエネルギーといえる。

応用すると

[核分裂によるエネルギー]

衝突させる

中性子

プルトニウム
の原子核

消えた
質量

エネルギー

核分裂するときに質量の一部が欠損する。
二つを合計しても、分裂前の質量には届かない

そのとき欠損したわずかな質量が
膨大なエネルギーに

欠損した質量は微量でも、光速（秒速約30万km）の
2乗をかけているのでエネルギーはとてつもない。

これらは**重力の存在を抜きにして、等速直線運動中だけで成り立つ特殊な理論**です。これを「**特殊相対性理論** ⑳ 」といいます。一方**重力の存在も含めて、加速度運動の中でも成り立つ相対性理論**を、「**一般相対性理論** ㉑ 」といいます。

[特殊相対性理論]　　　　　　　[一般相対性理論]

―― 特殊な条件で成り立つ理論 ――
・**等速直線運動** ㉒ する
　慣性系 ⑪
・重力を考慮に入れない

（条件）

―― 一般的な条件で成り立つ理論 ――
・**加速度運動** ㉓ する
　座標系 ㉔
・重力を考慮に入れる

・どんな慣性系の中でも
　同じ物理法則が通用する
　（ **ガリレイの相対性原理** ⑫ ）
・光の速度はどの慣性系の中でも
　いっしょである
　（ **光速度不変の原理** ⑰ ）

（前提）

・どんな座標系の中でも
　同じ物理法則が通用する
　（ **一般共変の原理** ㉕ ）
・慣性力と重力は一致する
　（ **等価原理** ㉖ ）

・光速に近づくにつれて時間は
　遅くなる
・光速に近づくにつれて
　物は縮んで見える
・光速に近づくにつれて
　質量は大きくなる

（特徴）

・巨大な質量は時空
　（4次元時空）をひずませる
・**時空のひずみ** ㉗ が
　重力の正体である
・重力によって光は曲がる

光速になると物はつぶれて
時が止まり質量が無限大になる!!
↓
あらゆる物質は
光速に届かない
※光は質量ゼロなので光速でいられる

③ 一般相対性理論

次に「一般相対性理論」についてお話ししますが、これは「相対性理論を本当に理解しているのは3人しかいない」という有名なセリフもあるように、とても難解なものです。ですからここでは、詳しく解説するよりも、軽く紹介する形でおさえます。詳しく学びたい方は、本書を読破後に新たな本に手を出してみてください。本書で得られた知識が、皆さんの理解を助けてくれるでしょう。

一般相対性理論によると、**巨大な質量の物体は時空をひずませます。このひずみの大きさが、重力の正体**だと考えます。

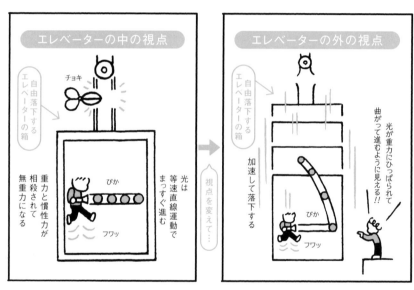

慣性力（動き続ける力や止まり続ける力）と重力（地球が引き寄せる力）は一致する（等価原理）ので、無重力となり、箱の中は等速直線運動する慣性系となる。

光が曲がって見えることをアインシュタインは、「重力が光を曲げた」と捉えて、しかも光のカーブを「時空のひずみ」と考えた。すると、「重力＝時空のひずみ」と結論づけられる。

この、質量は時空をひずませるという一般相対性理論の考え方は、天体観測における 重力レンズ効果 28 によって証明されました。

[重力レンズ効果]

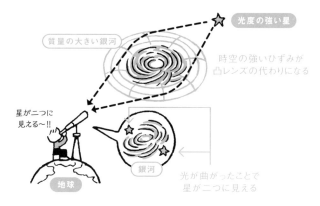

重力レンズ効果によって時空のひずみが証明され、
他にも宇宙に関する様々な発見がなされた（『 Chap.5 宇宙』）。

このような相対性理論は現代の私たちの生活にも深く関与しています。

[GPS 衛星の補正]

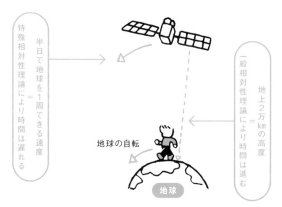

GPS 29 衛星と地上の時計が一致するように、常に誤差を補正している。

相対性理論のお話は以上です。続いては「量子論」のお話になります。このまま
読み進めるより、いったん休憩してから本書を開いたほうがいいかもしれませ
んよ。次章は少し、難しめです。

KEYWORD & KEYPERSON
重要用語と重要人物を掘り下げる

光は「波」なのか「粒子」なのかという論争は、「波でもあり粒子でもある」という驚きの結論になりました。さらに光は、どの速度の立ち位置から見ても、常に秒速約30万kmであることから、光速に近づくと「空間」は縮み「時間」は遅れ「質量」は増大するという、衝撃的な理論が導き出されました。それが特殊相対性理論です。さらに、重力の正体は時空のひずみだという、一般相対性理論も導かれます。現代の私たちの生活は、この二つの相対性理論に支えられて成り立っているのです。

※これまでのChapterですでに登場したワードは、簡単な意味のみ再掲しています。

3-1
「光」とは
光は「波」か、それとも「粒子」か

KEYWORD

❶ 回折
diffraction
波が障害物の後ろへ回り込んで伝わる現象。
➡光にも回折が見られることから、光の波動説の根拠とされた。

❷ 干渉
interference
二つ以上の同じ波が重なることで、波の振り幅が強まったり弱まったりする現象。
➡ヤングは2重スリット（細長いすきま）に光を通すことで干渉縞をつくり、光が波であることを証明した。

❸ エーテル
ether
古代ギリシア時代から20世紀初頭までの間で存在を想定されていた、全世界を満たす物質。
➡古代ギリシア時代では世界を構成する物質のひとつとして、17世紀のデカルトやガリレイの時代では宇宙を満たす物質として、19世紀の近代では光を伝える媒質として、様々な理論で用いられていた。

❹ 媒質
medium
力や波などの物理変化を伝える役割を持つもの。

❺ 電磁波 （▶Chapter2 P.64）
electromagnetic wave
電場と磁場との交互変化が波動として空間を伝わっていくもの。

❻ 電場・磁場 （▶Chapter2 P.63）
electric field / magnetic field
電場は、電荷の分布によって生じる、電気的な力の働く空間。磁場は、磁石や電流の周りに生じる、磁力の働く空間。

❼ 周波数 （▶Chapter2 P.64）
frequency
電波や音波などが1秒間にくり返す波のサイクルの回数。

❽ 光電効果
photoelectric effect
物質に光を当てることで電子がとび出る現象。
➡光電効果自体は1840年ごろにベクレルが発見したのだが、それを光量子の概念で理論的に解き明かしたのがアインシュタインだった。ちなみに1921年のアインシュタインのノーベル物理学賞受賞は、相対性理論ではなく、この光電効果の法則の発見によるものだった。

❾ エネルギー （▶Chapter2 P.51）

energy

物体などが「仕事」をできる能力。

➡力学・光・電気・熱・化学・原子などのエネルギーがあり、相対性理論によると、質量そのものもエネルギーの一形態といえる。

❿ 光子 （▶Chapter2 P.63）

photon

電磁気力を伝える光の粒子。

➡光は「波」と「粒子」両方の特徴をあわせ持つ特別な存在だが、その「粒子」の側面を光子と呼ぶ。また、アインシュタインは、光の性質を明らかにした際、光の粒子としての側面を、「量で測ることのできる光の粒子」として、「光量子」（light quantum）と呼んだ（→P.108）。

KEYPERSON

① ニュートン （▶Chapter1・2）

Isaac Newton（1642〜1727）

イギリスの物理学者・天文学者・数学者。

➡プリズムに光を当てる実験から、光は七つの色でできていること、色によって屈折の角度が違うことを導いた。1704年には『光学』を著したが、基本的には光が粒子であることを想定して書いたとされる。

② マクスウェル （▶Chapter2）

James Clerk Maxwell（1831〜1879）

イギリスの物理学者。

➡電磁波の存在と、それが光と同じ速度で進むことを予言した。

③ アインシュタイン

Albert Einstein（1879〜1955）

ドイツ生まれの理論物理学者。

➡1905年に特殊相対性理論・光量子論を発表し、1915年には一般相対性理論を完成した。1921年ノーベル物理学賞を受賞。後にナチスによるユダヤ人迫害のためにアメリカに亡命し、国籍を取得した。

3-2
「相対性理論」とは
光とは「相対」か、それとも「絶対」か

KEYWORD

⑪ 慣性系
inertial frame of reference

慣性の法則が成り立つ座標系（立ち位置）。
➡慣性の法則とは、外から力が働かない条件ならば、静止しているものは静止し続け、等速直線運動をするものは等速直線運動をし続ける法則のこと（→P.46）。P.85でいう「地上という慣性系」とは、「地上に対して静止している立ち位置」を表し、そこに立っている人には静止し続けようとする慣性の法則が働く。一方「電車の中という慣性系」とは、「地上に対して時速50kmの等速で動き続ける立ち位置」を表し、そこに立っている人には時速50kmの等速で動き続けようとする慣性の法則が働く。

⑫ ガリレイの相対性原理
Galilean principle of relativity

互いに静止もしくは等速度運動をしている座標系（立ち位置）では、すべて等しくニュートンの運動法則が成立するという原理。
➡P.85でいう「地上という慣性系」にいる人と「電車の中という慣性系」にいる人がお互いを見たとき、どちらも自分は動かずに相手が遠ざかっているように見える。この場合ならば両者はニュートン力学の諸法則が同等に成り立つため、P.85のように投げたボールの時速と電車の時速を足したり引いたりして解釈することができる。

⑬ 光速
speed of light

真空中の光の速度は常に秒速299792.458km（毎秒約30万km）。
➡光の粒子は質量がゼロなので光速を可能にするが、質量のある粒子は光速にたどり着くことはできない。ちなみに、粒子の質量を虚数（→P.199）にして超光速を可能にする「タキオン粒子」が想定されているが、いまだ発見には至っていない。

⑭ 絶対
absolute

物事を他と比べることなく捉えること。
➡ニュートン力学において、時間と空間は、物体の運動とは関係なく独立して（絶対的に）存在しているものだと考えられていた（絶対時間・絶対空間）。

相対性理論 | Theory of relativity

⑮ 相対
relative

他と比べて捉えること。
➡相対性理論において、時間と空間は、移動する立ち位置の速度に応じて（相対的に）変化するものだと考えられている。

⑯ 運動エネルギー
kinetic energy

運動する物体の持つエネルギー。
➡エネルギーとは「仕事」をできる能力（→P.51）のことであるが、運動エネルギーは物体が運動を止めるまでになしうる仕事量の総和を指す。公式では、質量（m）と速度（v）を用いて$E=1/2\ mv^2$で表せる。ちなみに位置エネルギー（U）とは、物体の位置によって決まるエネルギーのこと。質量（m）と地上からの高さ（h）と重力加速度（g）の積になるので、公式では$U=mgh$で表せる。

⑰ 光速度不変の原理
principle of constancy of light velocity

等速度運動しているどのような慣性系から観測しても、真空中の光の速度は変わらないという原理。
➡19世紀末に様々な立ち位置や方法で光速を測定したときには、その観測結果がまるで変わらないことに、科学者たちは困惑して測定ミスや矛盾を疑った。しかしアインシュタインはこれを不変の原理と捉えた。これは光速を基準とした特殊相対性理論を導く基本原理のひとつとなった。

⑱ E＝mc²
$E=mc^2$

エネルギーと質量が等価であることを表す関係式。
➡どれだけ質量が小さくても、光速の2乗をかけるので、得られるエネルギーは膨大である。これは原子爆弾の基本原理ではあるが、アインシュタインのこの式をもとにして原子爆弾が作られたわけではない。

⑲ 核分裂
nuclear fission

重い原子核が中性子などと衝突することで、二つ（以上）の原子核に分裂する現象。
➡ウランやプルトニウムなどの原子核が二つに分裂する際には、中性子も放出されるので、その中性子と衝突した周りの原子核が連鎖的に分裂していく。この核分裂の連鎖を一気に起こしたものが原子爆弾で、連鎖を制御したものが原子力発電である。

⑳ 特殊相対性理論

special theory of relativity

慣性系という特殊な立場の中で当てはまる相対性理論。

➡1905年にアインシュタインが提唱した理論。ニュートン力学では通用しない超高速度の世界を理論化したものだが、それでもニュートン力学を踏まえているので、古典力学の範疇に入れられる。

㉑ 一般相対性理論

general theory of relativity

加速度運動をする座標系も含めた一般的な立場でも当てはまる相対性理論。

➡1915年にアインシュタインが提唱した理論。「相対性理論を本当に理解しているのは3人しかいない」という有名なセリフは、この一般相対性理論を指す。ちなみに、一般相対性理論の正しさを証明して英語圏に初めて紹介したイギリスの物理学者エディントンが、このセリフを記者から聞いたとき、「一人目はアインシュタインだろ。二人目は私だろ。……三人目は誰かね？」と記者に聞き返したそうである。

㉒ 等速直線運動

uniform linear motion

一直線上を同じ速度で動き続ける運動。
➡空気抵抗や摩擦など、外部からの力の働かない条件では、動いているものは同じ速度で動き続ける（→P.46）。

㉓ 加速度運動

acceleration motion

外部からの力が働いている条件下での物体の運動。

➡時間とともに物体の速度が変化し、加速度（→P.68）が単位時間あたりの速度の変化率として表される。加速度運動のうち、加速度が一定の運動のことを等加速度運動という。

㉔ 座標系

coordinate system

X軸・Y軸などでできた、点の位置を表す座標（→P.193）をつくる基準となるシステム。

➡物理や数学などで、観測点から観測対象の位置や移動を記述するのに座標を用いるが、観測点や観測方法によって座標のシステムが変わる。そのシステムを座標系と呼ぶ。

㉕ 一般共変の原理

principle of general covariance

どのような座標系であっても、同じ数学形式で表せるという原理。

➡時空や重力を座標で表すとどうしても曲線でできた座標系になるが、それでもなお同じ数学形式で表せる。これは重力と時空の関係を表す一般相対性理論を導く基本原理のひとつとなった。

㉖ 等価原理
principle of equivalence
同じ物体の慣性質量と重力質量とが等しいという原理。

➡慣性質量（inertial mass）とは、ニュートンの運動方程式F＝maで表せる質量のこと。重力質量（gravitational mass）とは、物体にかかる重力の大きさの比較で表せる質量のこと。天秤で量る質量はこれに当てはまる。等価原理は、重力を考慮に入れた一般相対性理論を導く基本原理のひとつとなった。

㉗ 時空のひずみ
distortion of spacetime
物質の質量によって時空がひずむこと。

➡一般相対性理論では、この時空のひずみが重力の正体だと考える。ちなみに、この時空のひずみが伝える光速の波のことを重力波という。重力波の存在はアインシュタインによって予測され、2016年、二つのブラックホールが合体した際に生じた重力波が初めて観測された。

㉘ 重力レンズ効果
gravitational lens effect
光の経路が、巨大な質量を持つ天体によって曲げられる現象。

➡膨大な質量が時空をひずませるため、光もそれに合わせて曲がってしまい、レンズの屈折のような見え方をする。

㉙ GPS
global positioning system
人工衛星によって位置情報を測定するシステム。全地球測位システム。

➡アメリカ国防総省の管理による24基以上の人工衛星により、地球上のあらゆる位置を測定できる。地上と衛星軌道の時計を合わせるために、特殊相対性理論と一般相対性理論を駆使した時差の微調整がなされている。

4

Chapter.

The Most Intelligible Guide
of General Knowledge in the World

量子論
Quantum theory

量子のふるまいに踊らされる科学者たち

この章では、現代科学の最先端である量子論について、量子とは何か、それに対して科学者たちはどのようにアプローチしたのかを、量子にまつわる「ストーリー」として、そして「イメージ」として理解していきます。

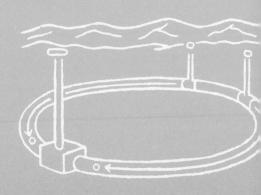

ENRICH YOUR EDUCATION

教養を豊かにする

🔍 登場する主なキーワード

☑プランク定数	☑行列力学	☑量子	☑量子力学
☑決定論	☑量子もつれ	☑量子情報通信	☑素粒子
☑陽子	☑中性子	☑クォーク	☑ボース粒子
☑ゲージ粒子	☑ヒッグス粒子	☑超ひも理論	

「量子」とは
—状態が重なり合う世界—

1 量子論の始まり

熱せられた鉄はどろどろになって光を発しますが、そのとき鉄の温度によって、光は様々な色になります。火花や炎もそうです。

色と温度とエネルギーの関係が分かれば
もっと効率がよくなるぞ

19世紀以降、 産業革命 ❶ によって製鉄業がさかんになり、
熱せられた鉄や炎の色が温度と相関関係にあることが見えてきた。

19世紀末に プランク ① は、その光の明るさと波長の関係について研究し、数式で表すことに成功しました。ただその数式をもとにすると、光のエネルギーはだんだんと連続的に変化するのではないことになります。**光のエネルギーの「かたまり」が増えることでとびとびに、不連続に変化する**ことになるのです。

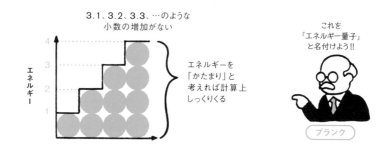

この計算上現れた、量で測れる（数えられる）「エネルギーのかたまり」をプランクは「 **エネルギー量子** ② 」と名付けたが、あくまでも計算上のことであり、彼も光のエネルギーが「粒子」だとは思っていなかった。

光の正体を「 **光量子** ③ 」（→P.83）として粒子と考えたのは **アインシュタイン** ② ですが、実は彼の研究は、プランクの研究結果から着想を得たものでした。

振動数が大きいほど、光量子のエネルギーは大きくなる（→P.83）。

一方、量子論の始まりにおいて、 電子 ⑤ の研究も外せません。19世紀後半に 原子 ⑥ の中に電子が発見されたことによって、原子は物質の最小単位ではなくなりました。では原子はどのような形で、何でできているのか。様々な考察がなされました。

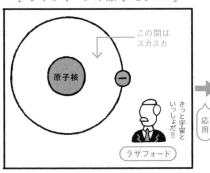

[ラザフォードの原子モデル]

この間は
スカスカ

原子核

ー

きっと宇宙といっしょだ!!

ラザフォード

応用

原子核の大きさをテニスボールと仮定すると、1km先にチリの粒より小さな電子が公転していることになる。

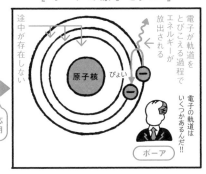

[ボーアの原子モデル]

途中が存在しない

電子が軌道をとびこえる過程でエネルギーが放出される

原子核

ー

ぴょい

ー

電子の軌道はいくつかあるんだ!!

ボーア

電子の軌道はだんだんと（連続的に）大きくなるのではなく、とびとびに（断続的に）存在している。

「**光という波は、粒子の性質も持つ**」というアインシュタインの影響を受けて、20世紀前半に ド・ブロイ ③ は逆の発想をしました。波が粒子の性質も持つならば、「**電子という粒子は、波の性質も持つ**」と考えたのです。

波が1周してくっついている

核

ー

波が粒でもあるなら、粒だって波でもあるんじゃないか？？

ド・ブロイ

核

1周したとき波がくっつかない

電子の軌道にはなれない

電子が波打って1周できる軌道の位置が、電子の軌道と考えれば、軌道がとびとびであることも納得できる。

では原子の中で電子はどのように存在しているのか。ド・ブロイの影響を受けた シュレーディンガー ④ は、電子の波の性質に注目して、なんとか数式で表そうとしました。そうしてできあがったのが「 シュレーディンガー方程式 ⑦ 」です。一方で ハイゼンベルク ⑤ は、電子の粒子の性質に注目して、なんとか数式で表そうとしました。そうしてできあがったのが「 行列力学 ⑧ 」です。

古典力学の波の法則で電子の波も説明できるんじゃないか？

（シュレーディンガー）

粒子の位置を導く数式
視覚的・感覚的イメージは無視!!

どう見えるかはどうでもいい!! 数式で表せればそれでいい!!

（ハイゼンベルク）

仏教の「梵我一如」（宇宙も自己も同じ理で成り立っている）の思想に影響を受けたシュレーディンガーは、宇宙も地上もミクロの世界も同じ法則で成り立つと考えていた。

「観測できる値の関係のみに着目する」と主張するハイゼンベルクは、導かれた法則が私たちの常識に反するものでもかまわないと考えていた。

後に両者の式からは、方法は違えど同じ結論が導かれることが分かりました。つまり**電子は、波でもあり、粒子でもある**のです。言い回しを変えれば、**状態でもあって物質でもある**のです。これは私たちの日常生活ではあり得ません。しかも電子は、**私たちの常識では考えられないようなふるまい**を見せます。これは17世紀から先人たちが築き上げた 古典力学 ⑨ （ニュートン力学）から見れば、存在すら許せません。どうやらミクロの世界は、私たちの常識とは異なる世界のようなのです。

[現代の原子のイメージ]

もあもあ

原子核

もあもあ

電子は原子核の周りに広がっている（電子の雲）

シュレーディンガー方程式の活用

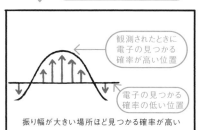

観測されたときに
電子の見つかる
確率が高い位置

電子の見つかる
確率の低い位置

振り幅が大きい場所ほど見つかる確率が高い

観測すると…

原子核

シュレーディンガー方程式の導いた位置に電子が
ほぼ見つかる（確率なので、確定ではない）

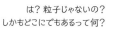

は？ 粒子じゃないの？
しかもどこにでもあるって何？

観測される前の電子は、「どこかにある」のではなく、原子核の周りの「どこにでもある」ものとして、**波の状態と重なり合って存在している。**

へ？ 確率なの？
そんなあいまいなの？

シュレーディンガー方程式によって、「原子**内のどの場所で発見される確率が高いか**」を表すことが可能だということが、マックス・ボルンによって発見された。

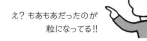

え？ もあもあだったのが
粒になってる!!

観測されることによって電子は1か所に収束して、粒子として観測される。

このように、分子や原子以下の大きさで、波と粒子の両方のふるまいをする物質のことを「**量子** ⑩」と呼びます。そして、古典力学では説明できない量子の不思議なふるまいの仕方を理論化する学問を「**量子力学** ⑪」と呼びます。また、量子力学をもとにして量子の世界を体系化した理論を総称して「**量子論** ⑫」と呼びます。

② 量子の不思議なふるまい

古典力学の世界は、世界のあらゆる場所は同じ法則に従っていて、しかもその法則は、「**ある条件のもとならば結果は必ず同じになる（ 決定論 13 ）**」ものでした。しかし量子力学の世界は、私たちの世界とは別の法則に従っていて、しかもその法則は、「**結果は確率的にしか決まらない（ 確率論 14 的な立場）**」というものでした。この結果を受け入れるべきか、否定すべきか、科学者の意見は大きく割れました。

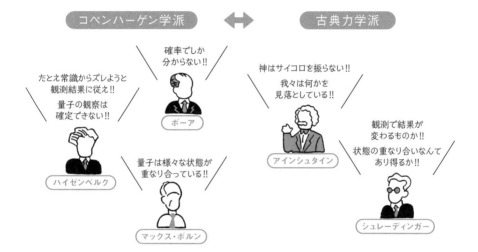

デンマークのコペンハーゲンにある
ボーアの研究所が中心になった理論のため、
「コペンハーゲン解釈」といわれる。

量子力学自体や実験・観察結果自体を
否定したわけではないが、
量子力学はまだ不完全なものとして
認められなかった。

ここで、量子の不思議さを象徴する有名な実験を紹介しましょう。電子をひとつぶずつ二重スリットを通過させてスクリーンに当て続けると、どのような模様が映るかを観察する実験です。

[二重スリット実験]

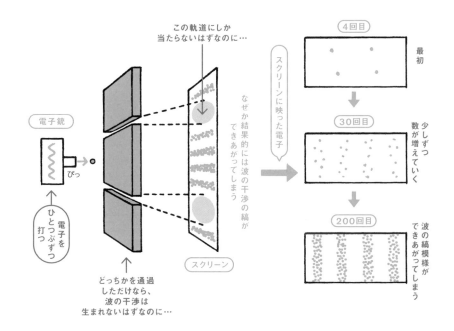

電子を連続して打ったのではなく、ひとつぶずつ時間をおいて打ったのに、
二重スリットを通過してスクリーンに当たった電子は、
波が二つのスリットを同時に通過しないと生まれない縞を描く。

ここから明らかになったことは、「電子という粒子が波になる」のでもなく、「電子が波状に動く」のでもなく、「**電子は波と粒子の性質が同時に重なり合っている**」ということです。にわかには信じられません。

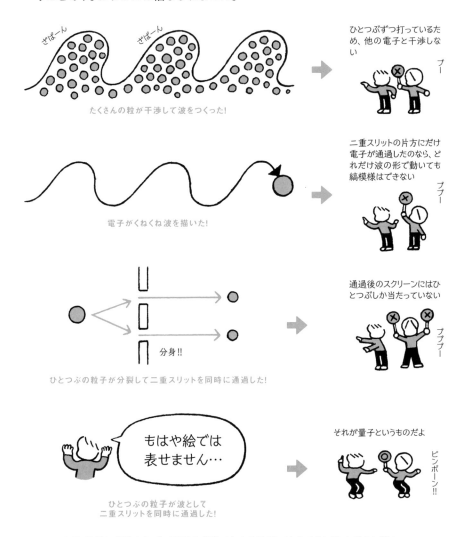

たくさんの粒が干渉して波をつくった!

ひとつぶずつ打っているため、他の電子と干渉しない

電子がくねくね波を描いた!

二重スリットの片方にだけ電子が通過したのなら、どれだけ波の形で動いても縞模様はできない

分身!!

ひとつぶの粒子が分裂して二重スリットを同時に通過した!

通過後のスクリーンにはひとつぶしか当たっていない

もはや絵では表せません…

ひとつぶの粒子が波として二重スリットを同時に通過した!

それが量子というものだよ

実験結果に従うならば、電子は「波でもあり粒子でもある」と認めざるを得ない。

しかも、電子がどちらのスリットを通過したかを**観測すると、なんと電子は粒子の
ふるまいをした結果になったのです。**

[二重スリット実験]

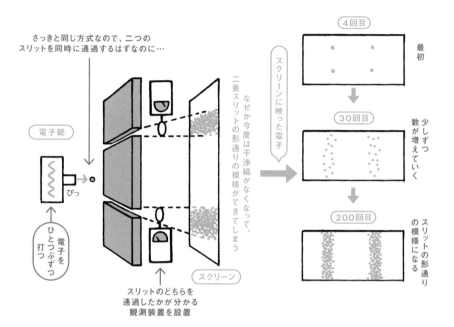

スリットの観測装置を設置したとたん、前回と同じ実験をしたにもかかわらず、
電子はひとつぶの粒子としてふるまい、片方のスリットしか通過しなかった。

ここから明らかになったことは、**観測前では電子は波と粒子が同時に重なり合っているが、観測すると電子はひとつぶの粒子として収束する**ということです。観測によって結果を変えるなど、これもにわかには信じられません。

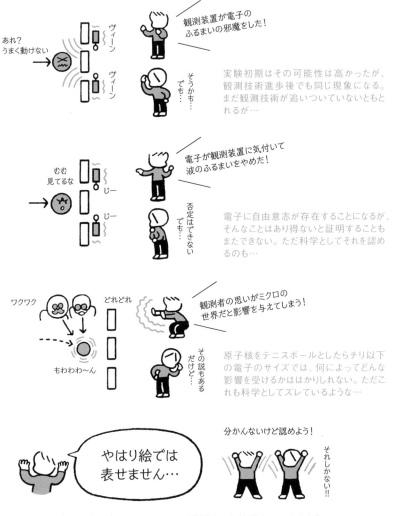

観測前は波としてふるまい、観測すると粒子としてふるまう。
理由は分からなくともこれが量子であると、事実として認めざるを得ない。

ちなみに、量子が「観測前は複数の状態が重なり合い、観測するとひとつに収束する」ことを認めない例の象徴として有名なのが、「**シュレーディンガーの猫** ⑮」という思考実験（たとえ話）です。

[シュレーディンガーの猫]

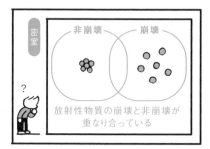

密室の中に、50％の確率で崩壊する放射性物質を入れたと仮定する。量子論の立場によると、**誰も観測していない状況では、その物質は崩壊と非崩壊が重なり合っている**ことになる。

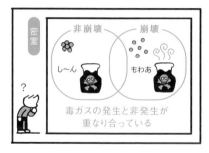

その中に、放射性物質が崩壊すると毒ガスが発生する装置を入れたと仮定する。**誰も観測していない状況では、その装置は毒ガスの発生と非発生が重なり合っている**ことになる。

その中に、生きた猫を入れたと仮定する。**誰も観測していない状況では、その猫は生と死が重なり合っている**ことになってしまう。

な？ そんなのあり得ないだろ!!
「観測前は状態が重なり合っている」
なんておかしいんだよ!!

（シュレーディンガー）

電子二重スリットの実験が行われる数十年前、シュレーディンガーは
コペンハーゲン学派の「観測前は状態が重なり合う」という主張を否定するために、
この思考実験を持ち出した。しかしその後、「重なり合い」を
認めざるを得ない実験結果が次々に生まれていった。

また、「**量子もつれ（量子エンタングルメント）** ⑯ 」という現象があります。もつれ合った二つの量子は、片方を観測すると、もう片方の量子は「**どれだけ距離が離れていても同時に**」連動したふるまいをします。この伝達速度は光速をもこえてしまいます。この矛盾をアインシュタインは認められず困惑しました。

[EPR パラドックス]

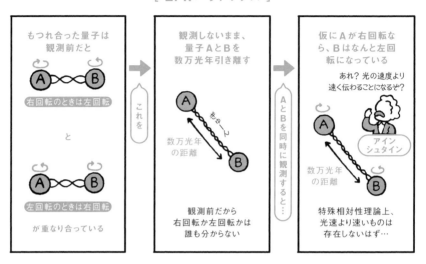

この量子もつれが引き起こす「状態の瞬間移動」を「 **量子テレポーテーション** ⑰ 」と呼ぶが、これは「光速をこえるものは存在しない」という特殊相対性理論と矛盾する。
その矛盾をアインシュタインたちは「 **EPR パラドックス** ⑱ 」として指摘した。
しかしその後、「量子テレポーテーション」の実在する結果が次々に生まれていった。

しかし20世紀後半以降、「状態の重なり合い」や「量子もつれ」は多くの実験によって観察され、認めざるを得なくなっていきました。

③ 量子論のこれから

「量子」にはこのように不思議なふるまいをする「性質」があることが明らかにはなりました。ただこのような不思議なふるまいが「なぜ」起こるのか、実は現代もなお、よく分かっていません。しかし、**「なぜ」が分からないまま、人類はその「性質」を利用していきます。**

[**量子コンピューター** ⑲]

量子コンピューターは、人工知能、暗号の解析、創薬などの分野では特に、
莫大な力が期待できる。

[**量子情報通信** ⑳]

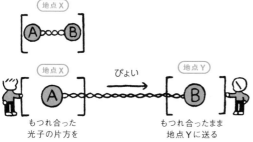

たとえ離れていても、もつれ合った光子AとBは同時に情報を共有できる。これならば確実に瞬時に誰からも見られることなく情報通信が可能となる。

このように現代技術と未来のテクノロジーは、量子の「性質」の応用にかかっているのです。

「素粒子」とは

―原子よりさらにミクロの世界―

最後に、現段階で物質の最小単位である、「 素粒子 **21** 」についても軽く触れていきましょう。

1 原子の構造

ラザフォードやボーアによって、**原子核を中心に電子がいくつかの軌道を回る**という構造が明らかになりましたが、その原子核は 陽子 **22** と 中性子 **23** で構成されます。さらにその陽子と中性子は、いくつかの素粒子の組み合わせでできています。

[ヘリウムの原子構造]

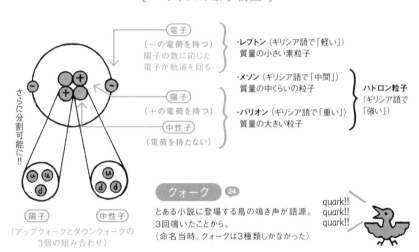

電子
(－の電荷を持つ)
陽子の数に応じた
電子が軌道を回る

陽子
(＋の電荷を持つ)

中性子
(電荷を持たない)

さらに分割可能に!!

陽子
中性子
(アップクォークとダウンクォークの
3個の組み合わせ)

・レプトン (ギリシア語で「軽い」)
質量の小さい素粒子

・メソン (ギリシア語で「中間」)
質量の中くらいの粒子

・バリオン (ギリシア語で「重い」)
質量の大きい粒子

ハドロン粒子
(ギリシア語で
「強い」)

クォーク **24**

とある小説に登場する鳥の鳴き声が語源。
3回鳴いたことから。
(命名当時、クォークは3種類しかなかった)

quark!!
quark!!
quark!!

素粒子は「物質を構成するもの」（フェルミ粒子）と「そうでないもの」（ボース粒子）に分かれ、現段階では以下のように分類されています。

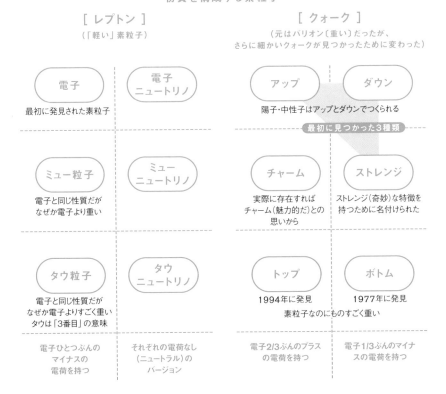

[**フェルミ粒子（フェルミオン）** 25]
（エンリコ・フェルミ博士の名より）
物質を構成する素粒子

[レプトン]
（「軽い」素粒子）

[クォーク]
（元はバリオン〔重い〕だったが、さらに細かいクォークが見つかったために変わった）

| 電子 | 電子ニュートリノ | アップ | ダウン |
| 最初に発見された素粒子 | | 陽子・中性子はアップとダウンでつくられる | |

最初に見つかった3種類

| ミュー粒子 | ミューニュートリノ | チャーム | ストレンジ |
| 電子と同じ性質だがなぜか電子より重い | | 実際に存在すればチャーム（魅力的だ）との思いから | ストレンジ（奇妙）な特徴を持つために名付けられた |

| タウ粒子 | タウニュートリノ | トップ | ボトム |
| 電子と同じ性質だがなぜか電子よりすごく重いタウは「3番目」の意味 | | 1994年に発見素粒子なのにものすごく重い | 1977年に発見 |

| 電子ひとつぶんのマイナスの電荷を持つ | それぞれの電荷なし（ニュートラル）のバージョン | 電子2/3ぶんのプラスの電荷を持つ | 電子1/3ぶんのマイナスの電荷を持つ |

これら12種類の粒子にはそれぞれ、反対の電荷を持つ反粒子が存在する。
反粒子とは、質量や寿命が同じでありながらも、電荷の正負などの内なる性質が逆になる物質のことであり、粒子と反粒子が当たるとどちらも消滅（対消滅）するとされる。

[**ボース粒子（ボソン）** 26]
（サティエンドラ・ボース博士の名より）
力や相互作用を構成する素粒子

[**ゲージ粒子（ゲージボソン）** 27]
ゲージ理論（素粒子の相互作用の理論）に
のっとったボース粒子

[**ヒッグス粒子（ヒッグスボソン）** 28]
ヒッグスの理論（質量の理論）に
のっとったボース粒子

光子に満たされて
電磁場ができる

フォトン

光子（→P.83）のこと
"電磁気力"を伝える素粒子（電磁場をつくる）

りんごに質量
を与える

ヒッグス

1964年にヒッグスが予言
2012年に発見!!
"質量"を与える素粒子（物質の動きにくさ）

クォーク
どうしを
糊づける

グルーオン

「糊づける」という意味の言葉が語源
"強い力"を伝える素粒子（クォークどうしを結びつける力）

中性子を
分解する

ウィーク
ボソン

"弱い力"を伝える素粒子（中性子を分解する力）

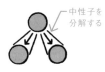

重力を
伝える

グラビトン

gravity（重力）をもとにアインシュタインが予言
"重力"を伝える素粒子（未発見）

素粒子世界をもとにすると、世界には **四つの力** 29 しか存在せず、
それは粒子の移動・伝達によってなされるとされる。

これら素粒子は、1周何十kmもの巨大な粒子加速器や、地中に埋まった巨大水槽でできた観測機などによって観測されます。

[粒子加速器]

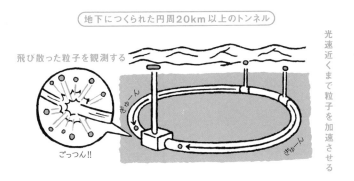

地下につくられた円周20km以上のトンネル

飛び散った粒子を観測する

光速近くまで粒子を加速させる

ぎゅーん

ごっつん!!

ぎゅーん

スイスとフランスの国境にある **LHC** ㉚ は、粒子を光速に限りなく近づけて粒子どうしをぶつけ合わせてくだく。そのくだけた粒子こそ最小単位の素粒子として観測が可能になる。

[ニュートリノ観測施設]

岐阜県飛騨市神岡町
超巨大水槽の観測機

茨城県東海村

ニュートリノは地中をすり抜ける

295kmの先から照射

まれに水中の原子核にぶつかったものが観測可能になる

ニュートリノを検出した初代 **カミオカンデ** ㉛ の50倍以上の容量の水槽を持つハイパーカミオカンデが2020年に建設開始され、さらなる新発見が期待される。

② 質量の正体

そもそも素粒子それ自体には、理論上質量(→P.45)は存在しません。しかしたとえば、光子には質量はありませんが、電子には質量がとても小さいですが存在します。

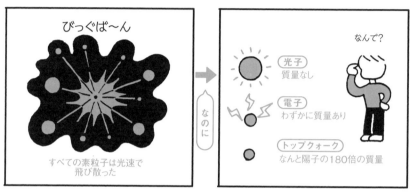

質量の存在するものは光速で移動はできないはず(→P.93)だから、素粒子に質量は存在しないはず。

素粒子は種類ごとに質量が存在している。

また、真空の中でのこれら素粒子の移動を見ると、光子はまっすぐ移動するのに対して、クォークはギザギザと移動します。

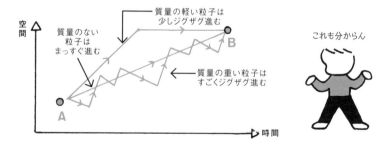

地点Aから地点Bへ同じ時間をかけて三つの粒子が移動するのに、質量の大きい粒子ほどまっすぐではなくジグザグする。

そこで20世紀に ヒッグス ⑥ は、質量の正体を「**物質の動きにくさ**」と考えました。「素粒子の動きやすい物質が、質量の小さい物質であり、素粒子の動きにくい物質が、質量の大きい物質である」と考えたのです。

ということは、宇宙に質量が存在するためには、「動きにくさ」をつくる粒子が無数に広がっていなければなりません。その「**動きにくさをつくる（質量を与える）粒子**」をヒッグス粒子と呼びます。これは2012年にとうとう発見されました。

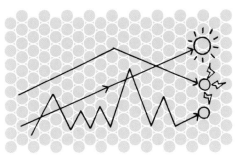

光子はヒッグス粒子の影響を受けない

電子はヒッグス粒子の影響を軽く受ける

重い粒子はヒッグス粒子の影響をモロに受けて動きにくくなる

質量とは「場の動きにくさ」のことだ!!

ヒッグス

ヒッグスは質量を「物質それ自体」からではなく、「場の動きにくさ」から捉えなおした。
この発想が成立するためには、私たちの宇宙すべてに、質量を与える粒子（ヒッグス粒子）が
海のように充満していなければならない。

③ 素粒子論のこれから

これで「質量」の正体は明らかになっていきました。しかしまだ謎のままなのが「重力」(→P.45)です。これはまだ素粒子論では説明できていません。ですが、今後もしかしたら科学技術の発展によって、「質量を与える粒子」に加えて「重力を伝える粒子」が発見されるかもしれません。

[ニュートン力学]

ニュートン力学における「重力」は、
「引力と遠心力の合力」だった。

[一般相対性理論]

一般相対性理論における「重力」は、
巨大な質量による「時空間のひずみ」だった。

[素粒子論]

重力子が宇宙に広がって、
それが重力の「力」を伝えている

アインシュタインは「重力を伝える粒子」の存在を予言したが、いまだに発見されていない。
しかし「質量を与える粒子」が発見されたなら、「重力を伝える粒子」も
やがて見つかるかもしれない。

また、はるか昔からの科学の基本姿勢である「**私たちの世界に存在する法則はもっとシンプルで美しいものであるはずだ**」という考え方（→P.16）が、新たな複雑な理論を導き出します。それが「 超ひも理論 ③ 」です。これも今、多くの科学者が研究を進めています。

そこで

超ひも理論

すべての素粒子は"1本の振動するひも"の様々な姿でしかない!!

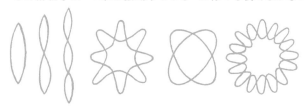

「素粒子＝丸い粒」という発想を根本的に捨てた

　これであらゆる「もの」や「力」は1種類のひもで説明されることにはなるが、1種類のひもですべてを説明するには、宇宙は少なくとも10次元まで存在しないとおかしいらしい。

このように、「量子論」や「素粒子論」は、新たな発見があるごとに新たな疑問や課題が生まれていく、現在進行中の分野といえるでしょう。

以上で量子論のお話は終わりになります。次章のテーマは「宇宙」です。天体研究の歴史と最新の宇宙の姿をお楽しみください。

KEYWORD & KEYPERSON
重要用語と重要人物を掘り下げる

量子の世界は、右回転と左回転が重なり合い、崩壊と非崩壊が重なり合う、私たちの日常世界ではあり得ないふるまいをするものでした。そのありようを観測すると、なぜかどちらかに収束して片方の姿で観測されてしまうため、私たちは重なり合いの姿を目にすることはできません。しかも、どちらに収束するかは確率論的に決まるものであり、約300年かけて培われた古典力学がまるで通じないものでした。私たちはこの不可思議な量子を用いて、新たな最新技術の世界の扉を、開こうとしています。

※これまでのChapterですでに登場したワードは、簡単な意味のみ再掲しています。

4-1
「量子」とは
状態が重なり合う世界

KEYWORD

❶ 産業革命 （⬛Chapter1 P.23）

industrial revolution

18世紀後半から19世紀前半にかけて起こった、生産技術の発達による産業や社会の大きな変革。19世紀からの近代化のきっかけとなる。

❷ エネルギー量子

energy quantum

光や粒子のエネルギーのかたまり。

➡古典力学上、すべての量はだんだんと連続的に変化するというのが常識だった。しかし光の場合は、「とある数値」の整数倍に、つまりとびとびで不連続に変化するものだった。このエネルギーの「とある数値」を「量を表すかたまり」としてプランクが「エネルギー量子」と名付けた。プランクはこの功績により、1918年にノーベル物理学賞を受賞している。

❸ 光量子

light quantum

アインシュタインが提唱した光の粒子。

➡プランクの提唱したエネルギー量子から着想を得て導かれた、「とある決まった数」（プランク定数）に「光の振動数」をかけた「エネルギーのかたまり」が、光の粒子であるとアインシュタインは考えて、「光量子」と名付けた（→P.83）。したがって、プランクのエネルギー量子の概念がなかったら、光の正体をアインシュタインが解き明かすこともできなかったかもしれない。

❹ プランク定数（h）

Planck's constant

量子力学における基本的な普遍定数。

➡もともとは光量子のエネルギーを測る比例定数として、プランクの名にちなんで名付けられた。後に量子力学の振動数やエネルギーを換算する基本定数として広く用いられるようになった。

❺ 電子 （⬛Chapter2 P.65）

electron

原子の中で、原子核の周りに分布する素粒子。負の電荷を持つ。

❻ 原子
atom

原子核と電子からなる、物質の基本的な構成単位。

➡古代ギリシアの哲学者デモクリトスが「万物の根源は atomos（不可分という意味）である」と説いたことから始まり、以降19世紀に至るまで、原子は万物の最小単位と信じられていた。その後、原子は原子核と電子からなり、さらに原子核は陽子と中性子からなり、さらに陽子と中性子はクォークからなり、というように、原子はさらに分割されていった。

❼ シュレーディンガー方程式
Schrödinger equation

量子の状態を表す基本方程式。

➡もともとはシュレーディンガーが、電子の波としての状態を、古典力学的に表そうとしてつくられたものだったが、行列力学と結論が等しく、様々な量子の状態をほぼ的確に表すことができるため、量子力学の研究において有用な方程式となった。シュレーディンガー方程式によって導かれた解は波動関数（ψ）と呼ばれる。

❽ 行列力学
matrix mechanics

量子の状態を行列で表す形式。

➡もともとはハイゼンベルクが、量子の粒子としての位置や量を、行列で表そうとしてできあがったものだったが、シュレーディンガー方程式をもとにした波動力学と結論が等しく、後に両者を統合した量子力学が誕生した。行列力学をもとにして量子の不確定性原理（量子の位置と運動量を同時に確定することはできないという原理）が導かれた。

❾ 古典力学
classical mechanics

ニュートンの運動法則を基礎にしてつくられた力学の理論体系。ニュートン力学（→P.44）。

➡現在では、ニュートン力学と相対論力学をまとめたものが古典力学とされている。

❿ 量子
quantum

ある物理量が、「とある数値（単位量）」の整数倍で表される場合、その「とある数値（単位量）」のことを量子という。

➡定義でいえば、エネルギー量子と同様に上記の説明となるが、性質でいえば、「波と粒子の両方の性質を持つ小さなかたまり」という説明が成り立つ。電子などの素粒子だけでなく、分子や原子も量子の定義に当てはまる。

⓫ 量子力学

quantum mechanics

古典力学の世界とは異なる、分子・原子・素粒子などのミクロの世界を理論化する物理学のひとつ。

⓬ 量子論

quantum theory

量子力学をもとにして量子の世界を体系化した理論の総称。

⓭ 決定論

determinism

世界の出来事はあらかじめ決定されているという考え方。

➡科学においては、「自然法則」に基づいて、未来の出来事を完全に予測することができるという考え方。キリスト教世界における「予定説」(神により救われる者はあらかじめ決まっているという説)など、西欧においては、決定論的思想は実は昔から強く根付いている。

⓮ 確率論

theory of probability

不確定な偶然現象が起こる確率を数学的に導こうとする学問分野。

➡量子論においては、観測前の粒子がどこに存在するかは不確定であり、観測後の粒子がどこに収束され観測されるかは、確率的にしか捉えられないと考える。この確率論的な思考は、今まで根付いていた西欧の決定論的思想とは相反するものであった。

⓯ シュレーディンガーの猫

Schrödinger's cat

量子論が不完全であることを指摘するために、シュレーディンガーが提唱した思考実験。

⓰ 量子もつれ(量子エンタングルメント)

quantum entanglement

二つ以上の量子が強い相関関係にある状態のこと。

➡二つ以上の量子が空間的距離差を無視して関係し合うさまを「もつれ合う」(エンタングル)状態として名付けられた。量子コンピューターや量子テレポーテーションへの応用が期待される。2022年のノーベル物理学賞には、「量子もつれ」の研究者3人が選ばれた。

⓱ 量子テレポーテーション

quantum teleportation

量子もつれの性質を生かして、光速をこえた速度で情報を伝達すること。

➡もつれ合った量子の片方を観測したと同時に、もう片方の量子もそれに対応した観測結果になる。しかもこれは距離がどれだけ離れても同時である。この量子もつれの性質を応用することで、光速をこえてしかも傍受不可能な情報通信が可能となる。ちなみに量子「テレポーテーション」とはいっても、物体が瞬時に移動するという意味ではない。

⓲ EPRパラドックス

EPR paradox

思考実験によって示された、量子論と相対性理論についてのパラドックス。これによってアインシュタインは量子論の不備を主張した。

➡二つの量子が空間的距離差を無視して関係し合う量子もつれは、「光速をこえるものは存在しない」とする特殊相対性理論と矛盾することが提唱された。提唱者であるアインシュタイン、ポドルスキー、ローゼンの頭文字をとって「EPRパラドックス」と名付けられた。

⓳ 量子コンピューター

quantum computer

量子の性質を応用したコンピューター。

➡既存のコンピューターはいずれ量子コンピューターに置き換えられるわけではない。四則演算や表計算などは既存のコンピューターで、素因数分解や人工知能などは量子コンピューターでというように、互いに得意とする分野でのそれぞれの活躍が見込まれる。

⓴ 量子情報通信

quantum information-communication

量子の性質を応用した情報通信。

➡理論上、光速をこえてしかも傍受も暗号解読も不可能な情報通信が可能となる。量子コンピューターにより既存のコンピューターの暗号が簡単に解読されてしまう可能性があるため、量子コンピューターの実用化よりも先に量子情報通信の整備が急がれる。

KEYPERSON

① プランク

Max Karl Ernst Ludwig Planck（1858～1947）

ドイツの理論物理学者。

➡熱放射を理論的に研究して「プランク定数」を発見し、初めて量子仮説を唱えた。1918年にノーベル物理学賞を受賞。ちなみに、2009年に打ち上げられた宇宙観測衛星は、彼の名にちなんで「プランク」と名付けられた。

② アインシュタイン　　◩Chapter3

Albert Einstein（1879～1955）

ドイツ生まれの理論物理学者。

➡光電効果を説明するために「光量子仮説」を提唱し、その後の量子力学の発展にも貢献したが、量子の確率論的な解釈には最後まで反対し続けた。そのときのセリフ「神はサイコロを振らない」はあまりに有名。

③ ド・ブロイ

Louis Victor de Broglie（1892～1987）

フランスの理論物理学者。

➡電子などの原子レベルの粒子には波動性があることを提唱した論文がアインシュタインによって認められ、シュレーディンガーの波動力学の基礎となった。1929年にノーベル物理学賞を受賞。

④ シュレーディンガー

Erwin Schrödinger（1887～1961）

オーストリアの理論物理学者。

➡ド・ブロイのいう物質の波動性を解明しようとして、シュレーディンガー方程式を導き出した。また、ハイゼンベルクの行列力学に対して波動力学を提唱した。1933年にノーベル物理学賞を受賞。

⑤ ハイゼンベルク

Werner Karl Heisenberg（1901～1976）

ドイツの理論物理学者。

➡コペンハーゲンにいるボーアのもとで研究を行う。

行列形式による量子力学である「行列力学」をつくり上げた。また、アインシュタインとの討論をもとに「不確定性原理」を提唱して、「コペンハーゲン解釈」を確立させた。1932年にノーベル物理学賞を受賞。

4-2
「素粒子」とは
原子よりさらにミクロの世界

KEYWORD

㉑ 素粒子

elementary particle

物質を構成する最小単位。

➡1897年に電子が発見されたことにより、原子は最小単位ではなく、さらに細かい粒子で構成されることが分かった。

㉒ 陽子

proton

原子核を構成する粒子のひとつで、正の電荷を持つもの。

➡1919年に発見された。陽子の個数に応じて、負の電荷を持ち原子核の周りを回る電子の個数が決まる。

㉓ 中性子

neutron

原子核を構成する粒子のひとつで、電荷を持たない中性のもの。

➡1932年に発見された。これにより原子核が陽子と中性子で構成されることが分かった。

㉔ クォーク
quark

陽子や中性子などを構成する素粒子。
➡クォークの存在は、1964年に予言され、1969年に証拠が検出された。これにより陽子と中性子はさらに細かい素粒子で構成されることが分かった。

㉕ フェルミ粒子（フェルミオン）
fermion

主に物質を構成する素粒子。
➡フェルミ粒子に当てはまる素粒子は、レプトン（軽い素粒子）6種と、クォーク（陽子や中性子などをつくる素粒子）6種の計12種類存在する。

㉖ ボース粒子（ボソン）
boson

主に物質間の相互作用を構成する素粒子。
➡ボース粒子に当てはまる素粒子は、ゲージ粒子（相互作用の粒子）4種と、ヒッグス粒子（質量を与える粒子）1種の計5種類存在する。

㉗ ゲージ粒子（ゲージボソン）
gauge boson

ゲージ理論における、素粒子間の相互作用を媒介する素粒子。
➡ゲージ理論（素粒子の相互作用の理論）によると、素粒子間にもたらす相互作用の力は四つあり、それらの力を伝えるのがゲージ粒子とされる。電磁気力を伝える素粒子は「フォトン」（光子）。強い力を伝える素粒子は「グルーオン」。弱い力を伝える素粒子は「ウィークボソン」。重力を伝える素粒子は「グラビトン」（未発見）。

㉘ ヒッグス粒子（ヒッグスボソン）
Higgs boson

素粒子に質量を与える素粒子。
➡ヒッグス粒子に満たされた場（ヒッグス場）を素粒子が通るときの動きにくさが質量の正体とされる。2012年にLHCで宇宙誕生直後の状態を再現することによって、ヒッグス粒子の発見につながった。

㉙ 四つの力
four fundamental forces

自然界に働く基本的な四つの力。
➡電磁気力（電気と磁気の力）、強い力（クォークどうしを結びつける力）、弱い力（中性子を分解する力）、重力の四つ。

㉚ LHC

Large Hadron Collider

大型ハドロン衝突型加速器。

➡世界最大の粒子加速器で、ヨーロッパ合同原子核研究機関（CERN）が運用する。光速近くまで加速させた陽子を衝突させて宇宙誕生直後の状態を再現し、そこで生じた粒子を観察する実験などを行う。

㉛ カミオカンデ

KAMIOKANDE

岐阜県飛騨市神岡町にある素粒子観測装置。

➡小柴昌俊が考案し、東京大学宇宙線研究所が建設した。純水で満たしたタンクを通過する素粒子について観測する。世界で初めてニュートリノ（電荷を持たないレプトン）を検出した。1995年には巨大化したスーパーカミオカンデが完成。現在さらに巨大化させたハイパーカミオカンデが建設中。

㉜ 超ひも理論

superstring theory

素粒子の正体を、1本の振動するひもと考える理論。

➡素粒子を1本のひもの振動の仕方で説明しようとした。ただ、この理論が成立するためには、計算上10次元の存在が必要になってしまう。

KEYPERSON

---

⑥ ヒッグス

Peter Ware Higgs（1929〜）

イギリスの理論物理学者。

➡1964年に素粒子が質量を得る仕組みを提唱して、素粒子に質量を与える役割を果たす粒子（ヒッグス粒子）の存在を予言した。2012年にヒッグス粒子は発見されて、翌2013年にノーベル物理学賞を受賞。ちなみに彼の理論は、南部陽一郎（2008年にノーベル物理学賞を受賞）が1961年に発表した「対称性の自発的破れ」という理論（均一・等方の世界の中に非対称が現れること）をもとにしている。

5

Chapter.

**The Most Intelligible Guide
of General Knowledge in the World**

宇宙
Universe

宇宙の姿を解き明かす試み

この章では、天文学や物理学における宇宙に関する知見を、歴史的経緯を追いながら説明していきます。また、最新宇宙論における宇宙の構造や、宇宙誕生のメカニズム、さらにはマルチバース理論についても、浅く広くの形で学んでいきます。

ENRICH YOUR EDUCATION

教養を豊かにする

🔍 登場する主なキーワード

☑惑星	☑銀河	☑ボイド	☑宇宙項
☑ビッグバン	☑宇宙背景放射	☐インフレーション理論	
☑量子ゆらぎ	☑ダークエネルギー	☑ブラックホール	☑特異点
☑ワームホール	☑マルチバース	☑多世界解釈	

5-1 天体研究の歴史
―夜空の観察から宇宙の法則へ―

私たち人類は、**宇宙** ❶ について今もなお、ほとんど何も分かっていません。しかし人類は、太古の昔から夜空を見上げて、宇宙の謎と神秘を解き明かそうとしてきました。そうして少しずつですが、宇宙について分かりうる範囲を広げていきました。まずは人類の天体研究の歴史を駆け足で追いかけてみましょう。

1 天体の運行

人類の天体への興味は古代から始まりますが、基本的には、地球を中心として太陽や月や星々が回る、いわゆる **天動説** ❷ が主流でした。

紀元前の古代メソポタミア文明では月の満ち欠けや太陽の運行を、古代エジプト文明では恒星シリウスの運行をもとにして暦をつくり、種まきや収穫の時期をはかった。

[アリストテレスの階層宇宙]

〈恒星天〉
完全な円運動で誕生も消滅もない永遠の世界

月から上の世界は第五元素
(**エーテル** ❸)に基づいた永遠完全の世界

〈惑星の世界〉
不規則で不完全な円運動も含まれた世界

〈月から下の世界〉
宇宙の中心。ただし、完全には程遠い世界

土・水・空気・火の四元素で構成されて生成と消滅をくり返す不完全な世界

アリストテレス ❶ の宇宙像は、後に様々な修正がなされながらも、イスラム・ヨーロッパ世界の宇宙観に影響を与え続けた。

ただ、古代ギリシアにも **地動説** を唱える人が存在しました。**アリスタルコス** です。彼は、月と地球、太陽と地球それぞれの距離の差から、太陽が地球よりもはるかに巨大な天体であることを導きました。そしてそのように**巨大な太陽が地球の周りを回るのは不自然**と感じて、太陽中心説を唱えました。

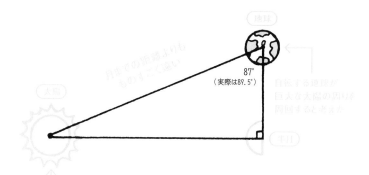

アリスタルコスは半月のときの月と太陽と地球が直角三角形をつくることに気付き、
そこから月と太陽それぞれの地球からの距離と大きさを求めた。
今と比べれば数値は誤りだが、太陽中心説を導くに至った。

金星や火星などの動きを観察すると、ただ西から東に移動するのではなく、戻ったり回ったりと、**行き先に戸惑うような軌道を描く**ことが分かります。そこでこれらの星は「惑う星」として「**惑星**」と名付けられました。

〈惑星の世界〉にある水星・金星・火星・木星・土星は、
観察するとあたかも行き先に戸惑っているかのような動き方をする。そこでギリシア語の
「プラネタイ」(さまよう人)をもとに「プラネット」(惑星)と名付けられた。

しかしこの惑星の動きはアリストテレスの階層宇宙の考え方と矛盾します。その矛盾を解決しようと多くの人が頭をひねりました。これにひとつの答えを導いたのが、プトレマイオスです。

[プトレマイオスの宇宙]

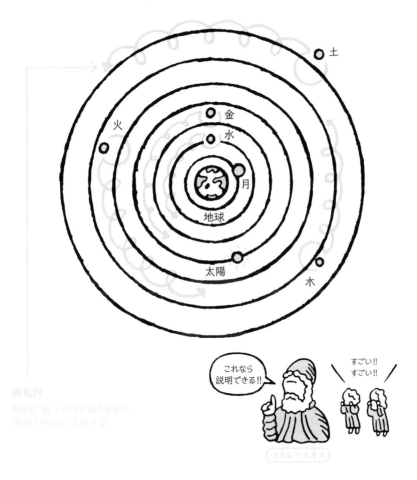

周転円
惑星は、独立て円を描きながら、
地球を中心に公転する

2世紀にプトレマイオスが「周転円」を導入することで、惑星の動きを理論的に説明できた。
相当複雑な計算にはなるが、これで惑星の動きをかなり正確に導けるため、
以後約1400年間これがモデルとなった。

② 太陽系モデル

プトレマイオスの天動説をもとにした惑星の運行は、ものすごく複雑な計算が必要になってしまいます。そこで15世紀末に **コペルニクス** ③ は天動説を疑います。彼は**宇宙に関する文献を調べ上げ、やがてアリスタルコスの太陽中心説にたどり着く**のです。

15世紀以降、大航海時代が始まり、目的地に無事にたどり着くためには、天体をもとにしたより正確な位置測定が必要になった。

15世紀末にはまだ望遠鏡は発明されておらず、先人の残した文献を懸命に研究することも真理に近づく道であった。

肉眼観測における最大の天文学者である **ティコ・ブラーエ** 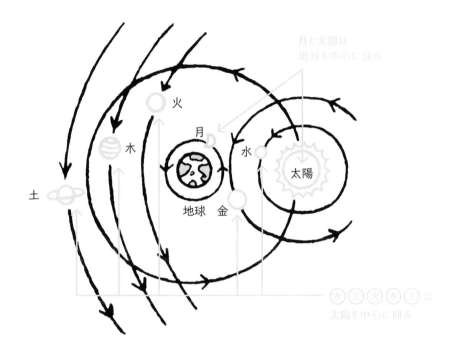 は、このコペルニクス説がプトレマイオス説よりも惑星運行の計算上優れていることを認めました。しかし**地動説自体はどうしても認められなかった**ため、天動説と地動説の折衷案を考えました。

[ティコ・ブラーエの宇宙]

月と太陽は
地球を中心に回る

火

木

月

水

太陽

土

地球　金

水　金　火　木　土　は
太陽を中心に回る

ケプラーの師匠であるティコ・ブラーエは、天動説と地動説の
折衷案になるモデルをつくった。それは、月と太陽は地球の周りを公転し、
地球以外の惑星は太陽の周りを公転するというものだった。

17世紀初頭、**ガリレイ** ⑤ は**当時発明されたばかりの望遠鏡を天体観測に応用しようとして、接眼レンズを凹レンズにした**「ガリレイ式望遠鏡」を開発します。これにより木星に四つの衛星があることを発見できました。これは**「すべての星は地球の周りを回る」という天動説をくつがえし、地動説を支持する決定的な根拠になりました。**

[ガリレイ式望遠鏡]

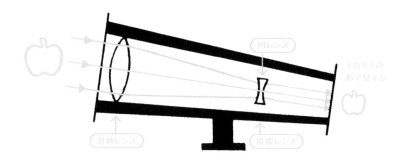

ガリレイ式望遠鏡は、正立像（上下が逆転していない形）での観察はできるものの、倍率（拡大率）はさほど高くない望遠鏡だった。

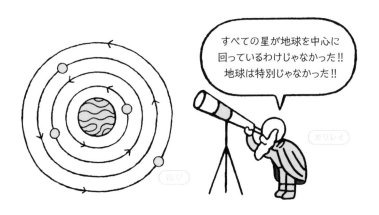

それでも木星に衛星を発見できたことで、天動説の誤りを確信した。

さらに **ケプラー** ⑥ は、彼の**師匠であるティコ・ブラーエの膨大な資料**をもとにして、惑星が楕円軌道を描いて太陽の周りを **公転** ⑥ することを導き、惑星の運行を完全に説明することに成功します。太陽系モデルの基礎がここにできあがります。

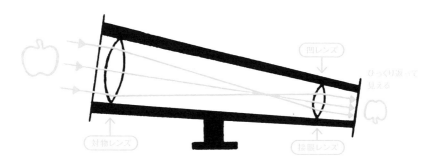

[ケプラー式望遠鏡]

凹レンズ

ひっくり返って見える

対物レンズ

接眼レンズ

ケプラー式望遠鏡は、倒立像（上下がひっくり返った形）ではあるものの、
倍率の高い像を得ることができる望遠鏡だった。

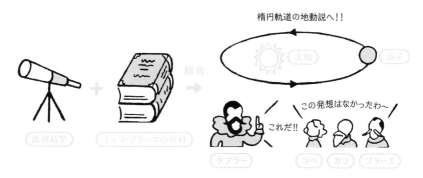

[ケプラーの宇宙]

楕円軌道の地動説へ!!

太陽　　惑星

総合

この発想はなかったわ〜

これだ!!

観測結果　　ティコ・ブラーエの資料

ケプラー　　コペ　ガリ　ブラーエ

コペルニクスもティコ・ブラーエもガリレイも、最も完全な形である
「真円」という思考から抜け出せなかった。しかし「楕円」という発想で
惑星運行を完璧に説明し切ったところに、ケプラーのすごさがあった。

それまでの太陽系モデルは土星まででしたが、18世紀末に **ハーシェル** ⑦ は、「ニュートン式反射望遠鏡」を改良した自作の反射望遠鏡を用いて、土星より遠い軌道を持つ天王星を発見しました。これにより、地球を除いた「水星・金星・火星・木星・土星」の**「五つの惑星」という天動説時代からの定説がくつがえされます**。さらに天王星の軌道の観測から新たな惑星の存在が予測され、その予測位置通りに新たな惑星が発見されました。それが海王星です。

[ニュートン式反射望遠鏡]

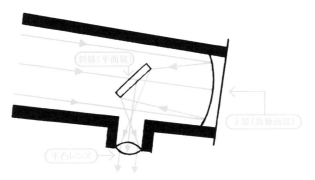

ガリレイ式やケプラー式の望遠鏡は屈折式で、像の色がにじむ問題があった。
しかし **ニュートン** ⑧ は、筒の中に鏡を斜めに配置して、しかも筒の側面に穴をあけて
そこから覗くという斬新なアイデアによって、見える像をより鮮明にした。

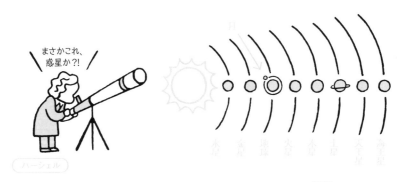

ハーシェルは最初、自作の反射望遠鏡で発見した星を新しい彗星と思い、
ずっと観測し続けていた。4か月後にこの星が太陽の周りを公転していることが分かり、
新たな惑星と認められることとなった。

海王星の観測によってまた、新たな惑星の存在が予測されましたが、ずっと見つけることはできませんでした。しかし1930年にようやく発見されました。これが冥王星ですが、冥王星は月よりも小さく、しかも軌道が他の惑星よりも約17°傾いていました。

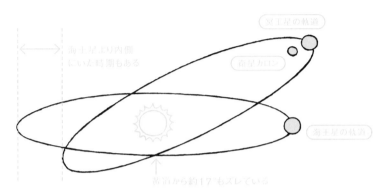

1978年には、冥王星の半分以上の大きさの衛星カロンが見つかった。
また、1979年から1999年までは海王星よりも内側の軌道にいた。

そして21世紀になると、太陽系の外縁を回る大きな天体が次々に発見されて、とうとう冥王星とほぼ同じ大きさの天体「エリス」が発見されてしまいます。こうなると、冥王星は惑星に入れていいのか、それとも惑星にエリスも加えるべきか、大きな議論が巻き起こりました。結論として2006年、国際天文学連合（IAU）によって**冥王星は惑星から除外**され、「準惑星」という新たな分類に置かれることになりました。

冥王星以外に同レベルの星が存在すること、軌道が海王星までの惑星と異なることなどを
総合して、冥王星は「準惑星」として扱われることになった。

③ 銀河と宇宙の大規模構造

17世紀にガリレイは、天体観測によって天の川が星の集合体であることを確認します。そして天王星を発見したハーシェルは、18世紀後半に**夜空の星の数を徹底的に調べ上げて、** 銀河 ⑦ は円盤状の形であることを明らかにしました。この、太陽系の所属する銀河を「 **天の川銀河** ⑧ 」または「銀河系」といいます。

[天の川の正体]

天の川は、膨大な数の星々の集合体を内側から見た姿であることが分かった。

[初期の天の川銀河モデル]

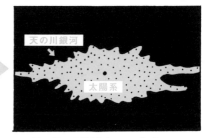

天の川の星々を集計すると円盤状の形になり、その中心に太陽系があると考えられた。

20世紀には、太陽系は天の川銀河の中心から2万6000光年ほど離れた位置にあること、そして銀河系が巨大な渦巻の腕を持っていることが明らかになりました。

[観測力の進歩]

20世紀になり、天体観測に適した場所から、巨大な天文台に設置された巨大な望遠鏡でより精密な観測が行われるようになった。

[天の川銀河]

天の川銀河は渦巻の形状をしていることが分かり、さらに棒渦巻になっていると考えられるようになった。

現代では、**最新理論と観測技術の向上**によって、さらに巨大な宇宙の構造が推測されています。

[ハッブル宇宙望遠鏡]

1990年に宇宙へ運ばれた全長13mの巨大望遠鏡。
地球の大気の影響を受けないので、きわめて鮮明な映像を得られる。
その他、いくつもの **宇宙望遠鏡** が打ち上げられている。

[500m球面電波望遠鏡]

中国で2016年に完成した世界最大の電波望遠鏡。直径500mの球面鏡。
より遠くへの観測のために、望遠鏡はより巨大になっていく。

宇宙 | Universe

[現在分かりうる宇宙の構造]

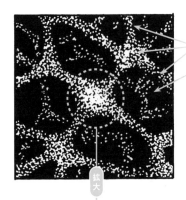

宇宙の大規模構造

たくさんの銀河団

ボイド

直径数億光年の、
銀河のほとんど存在しない領域

現在分かりうる最も大きな宇宙の構造。無数の
泡のようになっている。「泡」の中の空間は、**ボ
イド** 10 （英語で「空っぽ」の意）と呼ばれる。

超銀河団（おとめ座超銀河団）

大小様々な銀河

グレートウォール

密集した銀河でつくられた壁

天の川銀河から約1億光年以内にある、銀河
団が集まった超銀河団のことを「おとめ座超銀
河団」と呼ぶ。

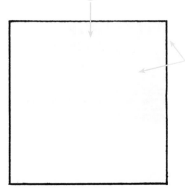

銀河団（おとめ座銀河団）

約2500個もの、様々な形をした銀河

おとめ座超銀河団の中心にある銀河団を「おと
め座銀河団」と呼ぶ。地球からこの銀河団の
中心までの距離は約6000万光年であり、天
の川銀河が属する銀河群は、いつかおとめ座銀
河団と合体すると考えられている。

5-2 宇宙誕生の謎
―宇宙の観測から宇宙の誕生へ―

続いては、この宇宙がどのようにして生まれ存在しているのか、その謎に迫ってみたいと思います。ここでは３章でお話しした「相対性理論」と４章でお話しした「量子論」が大きく関係します。まずはひと通り本章を通読して、その後から３章・４章と照らし合わせながら読むと、お互いの理解が深まり、より面白くなると思います。

1 宇宙は動いていた

「宇宙とは始まりも終わりもなく、静止して動かず存在し続けるもの」。これが西欧における宇宙観であり、20世紀まで当たり前の常識でした。アインシュタインもその常識を信じる一人でした。

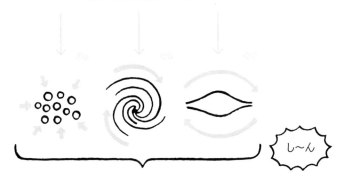

[アインシュタインの提唱した宇宙モデル]

等方性
宇宙に特別な方向は存在しない

小規模のスケールで宇宙を見れば、とある方向に集まったり回転したりなど、特別な方向を持っている。

し～ん

大規模のスケールで宇宙を見れば、とある方向への流れは存在しない。

一様性
宇宙のあらゆる場所で物理量は一様に同じ値である

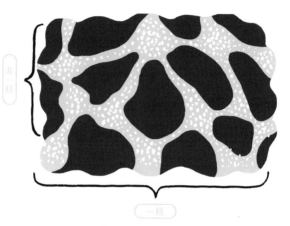

小規模のスケールで宇宙を見れば、銀河の集まるところとそうでないところがあり一様ではない。

非一様

一様

大規模のスケールで宇宙を見れば、
すべて同じような分布と広がりを持っている。

定常性
宇宙は時間的に変化せず常に一定である

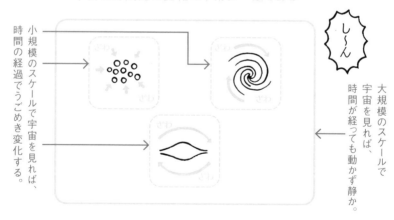

小規模のスケールで宇宙を見れば、時間の経過でうごめき変化する。

さわ
さわ
さわ
さわ

し〜ん

大規模のスケールで宇宙を見れば、時間が経っても動かず静か。

「等方性」「一様性」に関しては、現在もこれらと矛盾する理論や証拠は見つからず、
「 **宇宙原理** 」として宇宙の姿を考察するうえでの基本原理となっている。

しかし、アインシュタインの一般相対性理論（→P.94）によると、重力の正体は質量による時空間のひずみであるため、質量の巨大な天体どうしが影響を受け合い、宇宙は静止することなく膨張や収縮を始め、最終的にはどんどんとつぶれてしまうことになります。自らの理論が生み出したこの矛盾をアインシュタインは認められず、「**宇宙項** ⑫」という斥力（引力の反対。離れ合う力）をつくってバランスをとり、あくまでも「静止宇宙」の立場を貫こうとしました。

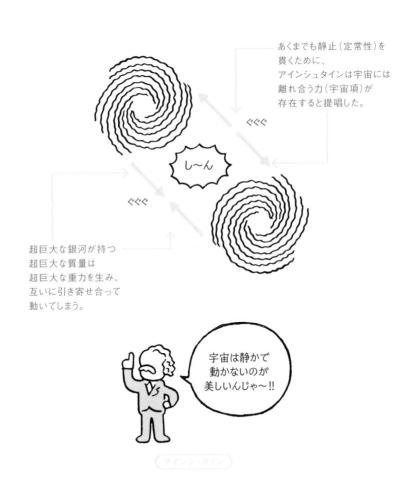

あくまでも静止（定常性）を
貫くために、
アインシュタインは宇宙には
離れ合う力（宇宙項）が
存在すると提唱した。

ぐぐぐ

し〜ん

ぐぐぐ

超巨大な銀河が持つ
超巨大な質量は
超巨大な重力を生み、
互いに引き寄せ合って
動いてしまう。

宇宙は静かで
動かないのが
美しいんじゃ〜!!

アインシュタイン

しかし1920年代後半に、ルメートルは宇宙の膨張を唱え、**ハッブル** ⑨ は「**天の川銀河に近い銀河よりも遠い銀河のほうが、より速く天の川銀河から遠ざかっている**」ことを明らかにしました。これによりアインシュタインは自らの過ちを認めざるをえませんでした。

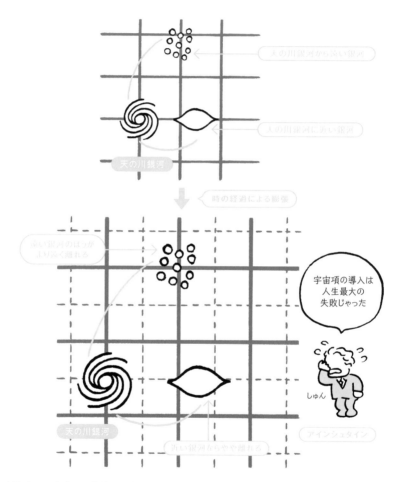

銀河が地球から遠ざかる速度は、地球から各銀河までの距離に比例する。この「**ハッブル=ルメートルの法則** ⑬ 」では、一見地球を中心に宇宙が膨張しているように感じられるが、地球から観測したからそうなっただけで、どの銀河から観測しても同様の結果になるとされる。これにより宇宙の定常性（静止宇宙）は否定された。

この宇宙の膨張は、「赤方偏移（せきほうへんい）」という、遠ざかると光が赤く見える現象をもとに発見されました。この現象は、私たちにとってなじみ深い「**ドップラー効果 ⑭**」によって引き起こされています。ここで、「ドップラー効果」について説明していきましょう。

[ドップラー効果]

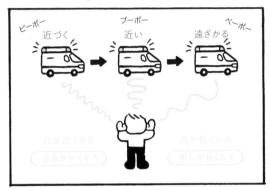

波源と観測者が近づくと波長が短くなり、遠ざかると波長が長くなる現象を
ドップラー効果と呼ぶ。

[銀河が地球から遠ざかる速度の測定]

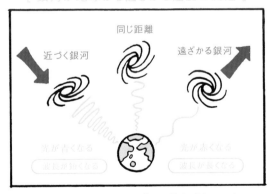

光も波の一種なので、ドップラー効果が当てはまる。
光の赤色への移行（赤方偏移）の具合を計測すれば、
銀河がどれくらいの速度で地球から遠ざかっているかを計算できる。

② 宇宙には始まりがあった

ルメートルやハッブルの発見によって、宇宙はどうやら静止しているのではなく、四方八方に広がって膨張していることが分かってきました。ということは、宇宙の膨らむ方向を逆にすると、過去はもっと縮んでいたことになります。さらに**もっともっと過去にさかのぼると、宇宙はなんと、1点に集約できる**ことになります。

これをもとにして **ガモフ** ⑩ は、超高密度・超高温度のかたまりが連鎖的核反応で爆発することによって宇宙が始まり、様々な元素が生まれ広がり今の宇宙になったのだと提唱しました。**「宇宙に始まりも終わりもない」という常識をくつがえし、宇宙に「始まり」があることを唱えたのです。**

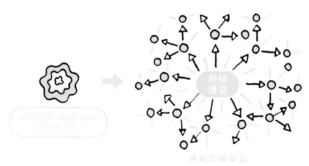

[ガモフの初期ビッグバン仮説]
※現在てはこの仮説は否定されている

熱核
爆発

超高密度・超高温度
のかたまり

連鎖的核反応

ナニこの仮説。
大爆発で宇宙が生まれたってか?
まるで「ビッグバン」じゃないの

その「ビッグバン」
いただき!!

ハハハ

ホイル

ガモフ

この「火の玉爆発誕生仮説」をホイル博士が「ビッグバン」(ドッカーンな爆発)とばかにした。そのセリフをガモフが気に入り、「**ビッグバン** ⑬ 説」と自らその名を用いるようになった。

3 宇宙の光は過去のかがやき

光の速度は秒速約30万kmです（→P.99）。地球の中のせまい範囲ならば、光は
一瞬で目的地に到達しますが、宇宙レベルの遠い距離ならば、到達までに時間
がかかります。ということは、**私たちが見ている宇宙は現在の姿ではなく、過
去の姿**ということになります。しかも地球から遠ければ遠いほど昔にさかの
ぼった姿です。

Aからはどう見える？　　　　　　　　　　　　　　　　　　　　Bからはどう見える？

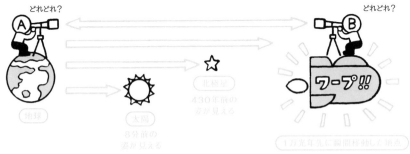

仮に宇宙空間で瞬間移動が可能になったとして、
1万光年先に瞬間移動したBが地球上のAと同時にお互いを観測したとする。

[AからBを観測する場合]　　　　　　　　[BからAを観測する場合]

地球にいるAからはBを観測できず、1万年　　　Bからは地球を観測できるが、なんと
後にようやく発見することができる。　　　　その地球の姿は1万年前のものである。

ガモフは、**宇宙開始のビッグバンの過程で生じた大量の光の名残りが観測できる**
はずだと1948年に予言しました。この予言から十数年後の1964年、その光の名
残りは、天体観測用アンテナの点検中に偶然発見されました。これはビッグバン仮
説が正しかったことの証明です。このビッグバンの光の名残りのことを、「**宇宙背
景放射** ⑱ 」と呼びます。

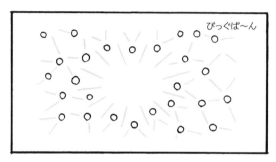

ビッグバンの過程で生じた太
古の光が……

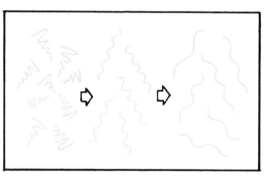

宇宙の膨張によって波長の長
いマイクロ波になり、今も宇宙
をあらゆる方向に直進し続けて
いる。

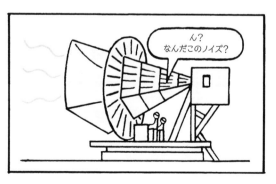

それが偶然観測された。

この宇宙背景放射は、地球上のどこから観測しても約138億年前に発せられていたことが分かりました。ということは、**ビッグバンは約138億年前に起きた**ことになります。また、宇宙の中には光速をこえて移動する物質はありませんので（→P.93）、理論上地球から約138億光年より手前の範囲が、宇宙背景放射の観測可能な範囲のはずです。

地球から観測可能な宇宙の範囲の限界を「**宇宙の地平線** 」といいますが、では地球から約138億光年先が「宇宙の地平線」なのでしょうか。実は「宇宙の地平線」は、地球から約450億光年先にあるのです。宇宙の膨張によって、約138億光年先で発せられた光は、地球に到達するころには約450億光年先にまで遠ざかっていたのです。

[宇宙背景放射（宇宙の地平線）]

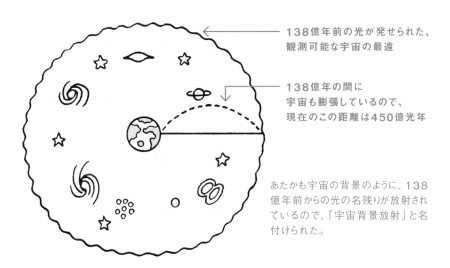

138億年前の光が発せられた、観測可能な宇宙の最遠

138億年の間に宇宙も膨張しているので、現在のこの距離は450億光年

あたかも宇宙の背景のように、138億年前からの光の名残りが放射されているので、「宇宙背景放射」と名付けられた。

ハッブル=ルメートルの法則によると、宇宙は地球から遠ざかるほど速度を上げて膨張します。その膨張速度が光速をこえるほどの遠距離になると、そこから発せられた光は私たちのところには永遠に届きません。なぜなら光より速く膨張するのだから。したがって、現段階では地球から約450億光年より先の世界は、決して分かりようもないのです。ある意味この「**宇宙の地平線**」の殻の中**の範囲だけが、私たちの宇宙といえるのかもしれません。**

4 矛盾を解決する新仮説

こうして宇宙背景放射の発見によって、ビッグバン仮説は定説に近づいたのですが、それでもこの仮説だけでは説明できない問題を抱えていました。

[初期ビッグバン仮説で説明できない問題]

①地平線問題 ───→ 宇宙の地平線からの宇宙背景放射は
なぜどの方向からも一様なのか?

②平坦性問題 ───→ 宇宙の地平線を通した空間の曲がり具合が
なぜどこも平坦なのか?

③密度ゆらぎ問題 ───→ 宇宙の大規模構造をつくる起源となる宇宙初期の
密度のムラ(ゆらぎ)はなぜ生まれたのか?

①何億光年も離れた位置に因果関係などあるはずがないのに、
どこを調べても一様に同じ性質

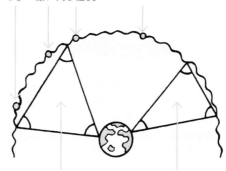

②大宇宙のあちこちで空間が大きく曲がっていてもおかしくないのに、
どこを調べても内角の和は180°(空間が曲っていない)

③なぜできた?

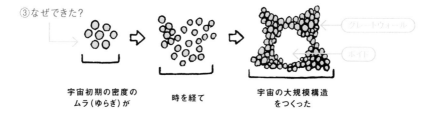

宇宙初期の密度の ムラ(ゆらぎ)が	時を経て	宇宙の大規模構造 をつくった

これらの矛盾を解決する画期的な理論が1980年代に登場しました。それが「**インフレーション理論**」です。**佐藤勝彦**（さとうかつひこ）と **アラン・グース** がそれぞれ独自に提唱しました。

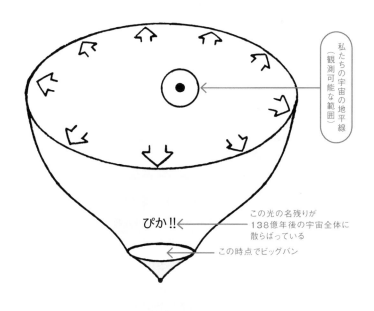

私たちの宇宙の地平線
（観測可能な範囲）

この光の名残りが
138億年後の宇宙全体に
散らばっている

ぴか!!←

この時点でビッグバン

宇宙は誕生から一瞬にして急膨張したとする理論。
指数関数的（→P.198）な膨張をしたため、佐藤は「指数関数的膨張モデル」と称したが、
経済用語を用いた「インフレーション理論」が一般的な呼称となった。

地球の中や**身近な宇宙**に関しては、ニュートン力学が当てはまります。**大規模な宇宙の構造や進化の過程**に関しては、アインシュタインの相対性理論が当てはまります。しかし**宇宙誕生直後**に関してはそのどちらもが通用しません。そこで**量子論**が重要な役割を果たします。

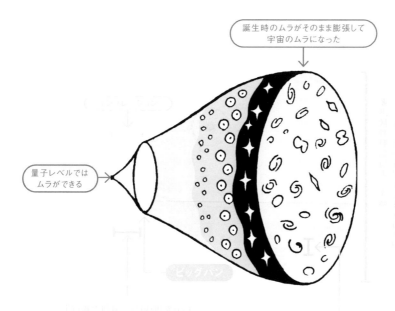

この量子論をもとにして、新たなビッグバン仮説が誕生しました。現代のビッグバン仮説では、宇宙の急膨張のエネルギーが熱エネルギーに変換されたことによる素粒子と光の誕生がビッグバンであると考えられています。

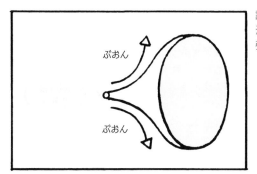

誕生直後、一瞬にしてウイルスが銀河団以上の大きさになるほどの急膨張が起きる。

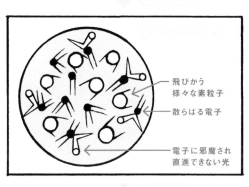

真空 の **相転移** によって真空のエネルギーが熱エネルギーとして解放され、素粒子と光が生まれた。ビッグバンの始まり。

飛びかう様々な素粒子

散らばる電子

電子に邪魔され直進できない光

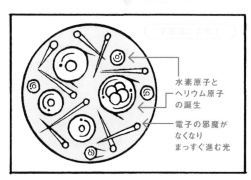

自由に飛び回っていた電子が原子核にとらえられて原子が誕生する。これにより、光子は電子に邪魔されずに直進できるようになる（宇宙の晴れ上がり）。このとき直進した光が宇宙背景放射として観測される。

水素原子とヘリウム原子の誕生

電子の邪魔がなくなりまっすぐ進む光

「知れば知るほど己の無知を知る」とはアインシュタインのセリフですが、人類は宇宙のことが新しく分かれば分かるほど、新たな謎に突き当たります。ここでは代表的な謎と仮説を紹介していきましょう。

1 ダークマターとダークエネルギー

太陽系の場合、太陽に近い惑星はより速く、遠い惑星はより遅く公転します。これは力学上自然なことなのですが、**銀河系の場合、銀河の中心に近い星も遠い星もなぜか同じ速度で公転します**。この不自然な現象は、今見えている物質だけでは説明ができないものでした。

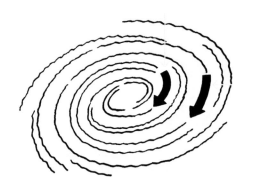

中心に近いため重力が大きく**遠心力**が大きい

中心から遠いため重力が小さく遠心力が小さい

…のはずなのに

両者の回転速度はいっしょ!!

中心から遠くても重力を大きくするためには、銀河全体に
「重力を大きくする何か」が存在しなければならない。
しかしそんなものは観測できない。

なんでだ?

そこで、この宇宙には、現時点での科学力では観測が不可能な物質が広がっていると考えました。この観測不可能な物質のことを、**ダークマター**といいます。

ダークマターが持つ巨大な質量は、周りの光の進路を曲げてしまう。
このダークマターの重力レンズ効果（→ P.95）を観測することにより、
近年、ダークマターが広範かつ大量に存在することが明らかになってきた。
しかし、ダークマターを直接観測する方法はいまだ確立されていない。

また、誕生から宇宙は膨張を続けていますが、超高質量の銀河団やダークマター
が持つ重力の収縮力の影響を受けて、宇宙の膨張速度は減速するはずです。し
かし実際は、**約50億年前からなぜか宇宙の膨張が加速している**のです。巨大な
重力を押しのけてまで膨張加速する力を与えるエネルギーとは、いったい何な
のでしょうか。

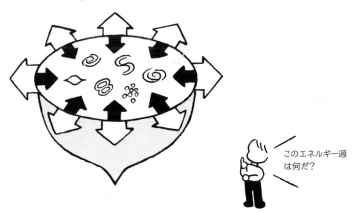

宇宙それ自体の膨張は光速をこえる。ただそのためには膨大なエネルギーを要する。

この**宇宙の膨張を加速させる謎のエネルギー**のことを、**ダークエネルギー**といいます。この正体は不明ですが、なんとかつて**アインシュタインがつくり捨てた「宇宙項」と同じ作用をする**ことが有力視されています。アインシュタインもびっくりでしょう。

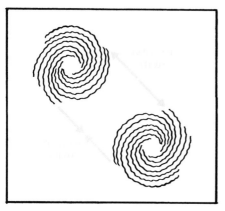

引き合う力とバランスをとるための宇宙項は、宇宙の膨張によってアインシュタイン自身誤りを認めたものだった。

静止宇宙は間違いじゃった宇宙項なんてなかった

その宇宙項は、宇宙の膨張を加速させる謎のダークエネルギーと数学上合致していた。

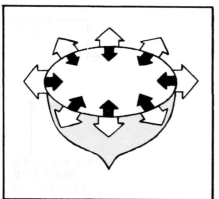

あれ？宇宙項が役立っちゃった

私たちの観測可能な宇宙において、私たちが観測できている物質量は約5%だそうです。残りはすべて謎のダークマターとダークエネルギーです。**知れば知るほど未知が増える、それが宇宙**なのかもしれません。

2 ブラックホールは実在した

1920年代末に大学院生の **チャンドラセカール** は、一般相対性理論をもとにすると、**太陽の1.4倍以上の質量の恒星は、終末時に自らの重力でつぶれて密度無限大の1点に崩壊する**という計算を導きました。当時はアインシュタインからも否定されましたが、やがてその存在を多くの科学者が認めはじめ、1960年代にはその1点は **ブラックホール** と名付けられました。

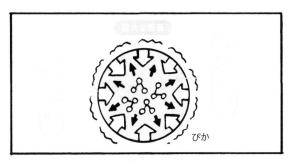

恒星が若いうちは大量の核融合（→P.260）のおかげで強大な重力とつり合いがとれ、押しつぶされない。

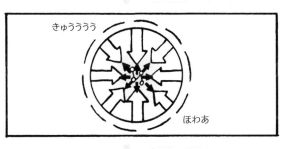

はるかな時を経て核融合が減り、燃えつきてくると、どんどんと押しつぶされてくる。

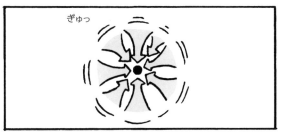

密度無限大の1点になってしまう。

ブラックホールは **ペンローズ** や **ホーキング** によって詳しく研究されました。**2019年にはとうとうブラックホールの撮影に成功**し、ブラックホールの存在は完全証明されたのです。

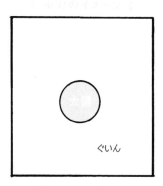

質量の大きい恒星は
時空をひずませる＝重力の発生。

ホーキング放射
（一部の粒子は放出される）

事象の地平線
（これより内部は観測不可能）

特異点
（密度が無限大）

重力崩壊した全物質が押し込められて、密度
無限大で超巨大な重力の特異点になる。

ブラックホールの存在が明らかになったとしても、その存在自体は謎だらけです。特に、吸い込まれた物質はどうなるのか。もしかしたら別の宇宙に吐き出されるのではないか。ここで、**宇宙はひとつではないのではないかという疑い**にぶつかります。

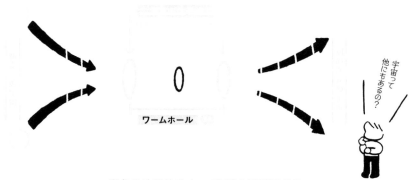

ワームホール

宇宙って
他にもあるの？

事象の地平線のせいで証明は不可能だが、
ブラックホールは私たちとは別次元の宇宙につながっているかもしれない。

3 宇宙はひとつではないかもしれない

私たちの宇宙とは別の宇宙があるかもしれない。別世界が、異世界があるかも
しれない。アニメや小説のファンタジーのような発想が、今科学の世界で真剣
に論じられています。それが「**マルチバース**　　理論」です。

異次元世界はフィクションの世界だと思われていたが、実在の可能性が出てきている。

マルチバースには様々な可能性がありますが、ここではいくつかのマルチバー
スを紹介します。

まずは、**インフレーションをきっかけに生まれた宇宙はひとつとは限らない**という考え方にのっとった、私たちの宇宙とはまったく別の物理法則を持った宇宙の集合体としてのマルチバース（レベル2マルチバース）です。

私たちの「宇宙の地平線」を含めた無限数の「宇宙の地平線」の集合体が
「レベル1マルチバース」。私たちの「レベル1マルチバース」を含めた
無限数の「レベル1マルチバース」の集合体が「レベル2マルチバース」。

別の立場では、量子論から導き出された **多世界解釈** による宇宙の集合体としてのマルチバースもあります。簡単にいえば、**仮にコイントスの結果が表だったとしたら、裏だった世界も存在するはず**だという考え方です。

私たちの「観測結果」を含めた「観測されうるあらゆる状態の可能性」
の併存が「レベル3マルチバース」。

また他にも、**数学的に矛盾なく記述できる法則があれば、その法則にのっとった宇宙が物理的に実在するはずだ**、というマルチバースの立場もあります。

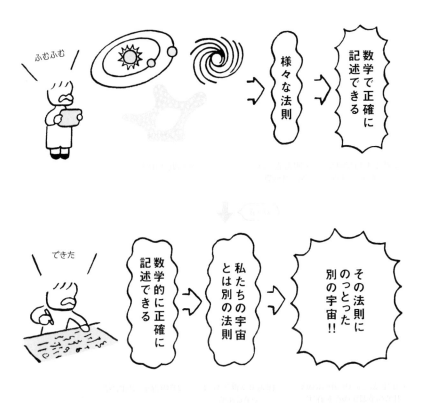

数学的に無矛盾な法則があれば、その法則の数ごとに存在するはずの
宇宙の集合体が「レベル4マルチバース」。もはや「宇宙＝数学」といえるくらいの考え方。
逆にいえば、人類誕生初期から考えられ続けている数学は、宇宙そのものといえるのかもしれない。

このレベル4マルチバースが示すように、私たちの宇宙は数学的に美しい数式や法則に囲まれた世界です。次章ではこの「数学」の世界を見ていきたいと思います。

KEYWORD & KEYPERSON
重要用語と重要人物を掘り下げる

古代より夜空の星々と私たちの生活は密接なつながりを持ち、人々は宇宙への関心を寄せ続けてきました。そして観測技術を進歩させて、ときには神の教えに反してまでも、宇宙の姿を明らかにしようとしていきました。現代の科学技術の進歩により、私たちは大規模な宇宙の構造や宇宙誕生のプロセスまでも解き明かそうとしていますが、そのたびに新たな謎にぶつかり、そして新たな仮説が誕生しています。私たちの宇宙への関心は、やみそうにありません。

※これまでのChapterですでに登場したワードは、簡単な意味のみ再掲しています。

5-1
天体研究の歴史
夜空の観察から宇宙の法則へ

KEYWORD

❶ 宇宙
universe
あらゆる天体を含む空間。
➡「宇」は天地四方、「宙」は古往今来の意で、空間と時間の広がりを意味する。

❷ 天動説　（🔲Chapter1 P.16）
geocentric theory
静止した地球が宇宙の中心であり、他の天体は地球を中心に回転しているという説。

❸ エーテル　（🔲Chapter3 P.80）
ether
古代ギリシア時代から20世紀初頭までの間で存在を想定されていた、全世界を満たす物質の一種。

❹ 地動説　（🔲Chapter1 P.16）
heliocentric theory
太陽を中心に地球や他の惑星が回転しているという説。

❺ 惑星
planet
恒星の周りを公転する比較的大きな天体。
➡恒星は天球上で位置が変わらずに自らかがやく天体。ちなみに準惑星は太陽の周りを公転するが、惑星の条件に合わない天体で比較的大きなもの。衛星は惑星の周りを公転する天体。彗星は太陽系の天体のひとつで、長い尾をひいて箒のように見えるため、「ほうき星」ともいう。

❻ 公転
revolution
天体が他の天体の周りを周回する運動。
➡ケプラーによって、太陽系の惑星の公転軌道は楕円形と判明した。ちなみに自転とは天体がその重心を通る軸を中心に回転すること。

❼ 銀河
galaxy
恒星や星間物質、ダークマターなどによって構成される巨大な天体。
➡その形から、渦巻銀河・棒渦巻銀河・楕円銀河などの分類がある。これら銀河が集まってできたものが銀河団、銀河団が集まってできたものが超銀河団となる。

❽ 天の川銀河
Milky Way Galaxy
太陽系が属する銀河。銀河系ともいう。
➡天球上の天の川が銀河の正体であることからその名がついた。棒渦巻銀河の形状とされる。

❾ 宇宙望遠鏡

space telescope

大気圏外から宇宙を観測する望遠鏡。

➡大気の影響なく直接宇宙を観測できるため、かなり高精度の宇宙の姿を見ることができる。ハッブル宇宙望遠鏡・ケプラー宇宙望遠鏡などがある。ちなみに電波望遠鏡とは、天体からの微弱な電波を1点に集中させて観測する装置。これも宇宙の観測に重要な役割を果たしている。

❿ ボイド

void

宇宙で銀河のほとんど存在しない領域。

➡宇宙の大規模構造における「泡」の内部に該当する。

KEYPERSON

① アリストテレス （▶Chapter1）

Aristotelēs（前384〜前322）

古代ギリシア最大の哲学者の一人。

➡月より下の四元素でできた世界と、月より上の水星・金星・太陽・火星・木星・土星やその他の恒星が運動するエーテルで満たされた世界を、別世界と考えた。

② アリスタルコス

Aristarchos（前310ごろ〜前230ごろ）

古代ギリシアの天文学者。

➡地動説の先駆者。地球の公転と自転を最初に考えたとされる。

③ コペルニクス （▶Chapter1）

Nicolaus Copernicus（1473〜1543）

ポーランドの天文学者・聖職者。

➡古代ギリシアのプトレマイオスが唱えた天動説に疑問を持ち、アリスタルコスの地動説を発見した。その影響を受けて、地動説を導いた。

④ ティコ・ブラーエ

Tycho Brahe（1546〜1601）

デンマークの天文学者。

➡天動説と地動説の折衷案を提唱した。また、望遠鏡を用いない観測者として最大の功績を残した。彼の残した長期にわたる膨大な資料は、弟子のケプラーによる「ケプラーの法則」（→P.43）の発見に貢献した。

---

⑤ ガリレイ （▣Chapter1・2）

Galileo Galilei（1564〜1642）

イタリアの物理学者・天文学者。

➡天文学におけるガリレイの功績としては、自作の望遠鏡を用いた新たな発見が挙げられる。月の凸凹、木星の衛星、太陽の黒点などを発見し、それらの根拠をもとに、地動説を唱えた（→P.17）。宗教裁判で異端の判決が下されたのはあまりにも有名。その際に「それでも地球は動く」とつぶやいたといわれているが、どうやらこれは作り話らしい。

⑥ ケプラー

Johannes Kepler（1571〜1630）

ドイツの天文学者。

➡ティコ・ブラーエの死後、彼の残した資料を研究し、楕円軌道による惑星運動という、誰も想像がつかなかった結論を導き出した。

⑦ ハーシェル

Frederick William Herschel（1738〜1822）

イギリスの天文学者。

➡自作の反射望遠鏡によって「掃天観測」（一定の範囲の天体を網羅的に観測すること）を行った。1781年に天王星を発見し、さらには天の川の観測から銀河系が円盤状の形であると初めて推論した。

⑧ ニュートン （▣Chapter1・2・3）

Isaac Newton（1642〜1727）

イギリスの物理学者・天文学者・数学者。

➡月や惑星の運動を説明するために、ニュートンは万有引力の法則を導いた（→P.18、43）。また、光学の研究をもとにして、反射望遠鏡を発明した。これにより、ハーシェルによる天王星の発見など、後の天体観測の発展に大きく貢献した。

5-2
宇宙誕生の謎
宇宙の観測から宇宙の誕生へ

KEYWORD

⑪ 宇宙原理
cosmological principle

宇宙とは、大きく見ればどこも一様(一様性)で特別な方向などない(等方性)という原理。

➡ちなみに、1917年にアインシュタインが「一様性」と「等方性」に加えて「定常性」(時間的にも変わらない)も提唱したが、その際のつじつま合わせに「宇宙項」が導かれた。

⑫ 宇宙項
cosmological term

宇宙が引力でつぶれないよう、アインシュタインが自身の方程式に導入した項。斥力(離れ合う力)として働く。

➡アインシュタインの一般相対性理論によると、銀河などの引力により宇宙は引き寄せられて、将来的にはつぶれてしまうという結果が導かれる。これでは宇宙の「定常性」が成り立たないため、アインシュタインは引力の反対となる斥力を導入して「静止宇宙」を保とうとした。

⑬ ハッブル=ルメートルの法則
Hubble-Lemaître law

銀河が地球から遠ざかる速度は、地球から各銀河までの距離に比例するという法則。

➡1929年にハッブルが発見したこの法則により、宇宙が膨張する説が支持され、アインシュタインは宇宙項の概念を放棄した。ちなみに従来は「ハッブルの法則」と称されていたが、1927年にルメートルが論文ですでに発表していたことが近年広く知れわたるようになったため、2018年に国際天文学連合によって名称変更が決められた。

⑭ ドップラー効果
Doppler effect

観測者と波源が互いに近づくと波長が縮み、互いに遠ざかると波長が伸びて観測される現象。

➡1842年にオーストリアのドップラーが発見した。光に関していえば、地球に近づく星は青く見えて、地球から遠ざかる星は赤く見えることになる。ハッブルは天の川銀河系外の星々が赤みがかって見えている(赤方偏移)ことから、宇宙膨張説を唱えるに至った。

⓯ ビッグバン

big bang

宇宙の大爆発。

➡1948年にガモフらが提唱した宇宙起源説で用いられた言葉。超高密度・超高温度の状態から核反応により急膨張したと考えた。ビッグバンの命名者はガモフではなく、定常宇宙論者のホイルがラジオ出演した際、ガモフの説を揶揄して用いたのがきっかけ。

⓰ 宇宙背景放射

cosmic background radiation

宇宙全体を満たす電磁波放射。

➡約138億年前の宇宙誕生時に発生した光の名残り。宇宙膨張による赤方偏移によって光の波長が引きのばされ、電波の領域の波長までになり、現在まで残っていた。ビッグバン理論からその存在が予言されていたが、1964年に発見された。

⓱ 宇宙の地平線

cosmic horizon

観測可能な最も遠い限界面。

➡ハッブル=ルメートルの法則より、距離に比例した速度で銀河は地球から遠ざかる。その速度が光速になる距離が、観測可能な限界の距離となる。そこから先の光は、光速より速く遠ざかるため、我々のところには永遠に届かない。

⓲ インフレーション理論

inflationary cosmology

誕生のごく初期に宇宙が急激に膨張したという説。

➡1981年に佐藤勝彦とアラン・グースがそれぞれ独自に提唱した。ビッグバン理論では説明しきれない問題点が解決可能になる。佐藤は当初「指数関数的膨張モデル」と称していたが、グースが物価上昇の経済用語にちなんで名付けた「インフレーション理論」という名称が一般的に用いられている。

⓳ 量子ゆらぎ

quantum fluctuation

量子力学における、物理量のゆらぎ。

➡ハイゼンベルクの不確定性原理によると、量子における時間とエネルギーは同時に正確に定めることは不可能(つまり「ゆらぐ」)であり、確率論的に決まるという。その状態から急激に宇宙が膨張したことで、宇宙に「ムラ」ができたと考えられる。

⓴ 真空

vacuum

物質を排除した空間。

➡量子力学における真空とは、エネルギーが起こる前にある状態といったほうがふさわしいかもしれない。

㉑ 相転移

phase transition

物質の状態(相)が別の状態(相)に変わること。

➡固体・液体・気体のような状態が相の典型例。インフレーション理論によると、真空の相が転移して膨大なエネルギーが放出されたとされる。

KEYPERSON

⑨ ハッブル

Edwin Powell Hubble(1889〜1953)

アメリカの天文学者。

➡アンドロメダ銀河などが我々の銀河系の外にあることを突き止めた。また、それら銀河系外の銀河が銀河系からの距離に比例した速度で遠ざかる「ハッブル=ルメートルの法則」を導き出した。ちなみにベルギーの天文学者のルメートルは、ハッブルに先立ってこの法則を発見していた。

⑩ ガモフ

George Gamow(1904〜1968)

アメリカの理論物理学者。

➡原子核物理学の発展に貢献した。その成果をもとに、太陽のエネルギーが熱核反応によることを導いたり、核反応による宇宙の誕生(ビッグバン仮説)を提唱したりした。

⑪ 佐藤勝彦

Sato Katsuhiko(1945〜)

日本の宇宙物理学者。

➡超新星爆発には素粒子ニュートリノが関与することを解明。さらには宇宙急膨張の「インフレーション理論」を提唱した。佐藤は当初「指数関数的膨張モデル」と称していた。

⑫ **アラン・グース**

Alan Harvey Guth（1947〜）

アメリカの宇宙物理学者。

➡宇宙の「インフレーション理論」を提唱した一人。この理論を最初に提唱したのは佐藤勝彦だが、物価上昇の経済用語である「インフレーション」という言葉を用いたのはグースである。

5-3
宇宙の新たな謎
宇宙の謎から新たな仮説へ

KEYWORD

㉒ **遠心力**

centrifugal force

円運動をしている物体が受ける慣性の力。その力は、円の中心から遠ざかる向きに働く。

㉓ **ダークマター**

dark matter

光や電波などでは観測が不可能な物質。

➡現在観測が可能な天体の質量だけでは、銀河や宇宙の形を保つには不十分である。そこで、観測されない未知の物質が多数存在し、その重力によって均衡が保たれるという発想からダークマターの存在が想定された。

㉔ **ダークエネルギー**

dark energy

宇宙の膨張を加速させている未知のエネルギー。

㉕ **ブラックホール**

black hole

密度と重力があまりに大きく、光学系での観測が不可能な暗黒の天体。

➡2022年には、天の川銀河の中心にあるブラックホールの撮影に初めて成功した。

26 ホーキング放射

Hawking radiation

ブラックホールからの熱的放射。

➡イギリスの物理学者ホーキングが提唱したことから名付けられた。ブラックホールは放射によりエネルギーを失い、やがて消滅するといわれている。

27 事象の地平線

event horizon

光や電磁波などで観測が可能な領域と不可能な領域の境界線。

➡ブラックホールや宇宙の地平線がそれに該当する。ちなみに、ブラックホールを撮影する場合は、ブラックホールそれ自体ではなく、その周りのガスを撮影する。ブラックホールそれ自体は撮影不可能。

28 特異点

singular point

重力の大きさが無限大になってしまう点。

29 ワームホール

wormhole

二つの異なる領域をつなげる時空のトンネル。

➡一般相対性理論から導かれる仮想の時空トンネル。このトンネルを使えば理論上光速よりも速い移動が可能になる。

30 マルチバース

multi-verse

我々の宇宙とは異なる宇宙も含めた、宇宙の集団。多宇宙・並行宇宙。

➡ユニ・バースのユニ(単一)をマルチ(多重)に替えた造語。近年、宇宙はひとつではなく、多数存在していると考えられるようになっている。様々な仮説が存在するが、どれも観測は不可能。

31 多世界解釈

many world interpretation

世界すべてが、あらゆる状態の重ね合わせであるとする解釈。

➡量子力学をもとにしたマルチバースのひとつ。1950年にエベレットが、量子の重ね合わせを世界のありようにまで拡大して提唱した。

KEYPERSON

---

⑬ チャンドラセカール

Subrahmanyan Chandrasekhar
（1910〜1995）

インド出身のアメリカの天体物理学者。
➡太陽の質量の約1.4倍を限界点として、それより大きい質量の星は超新星爆発を起こし、それより小さい質量の星は白色矮星になるとした。この限界点を「チャンドラセカール限界」という。1983年にノーベル物理学賞受賞。

⑭ ペンローズ

Roger Penrose（1931〜）

イギリスの数理物理学者。
➡一般相対性理論において仮定されていたブラックホールの存在を証明した。その後、ホーキングと共同してビッグバンに特異点があることも証明した。2020年にノーベル物理学賞受賞。

⑮ ホーキング

Stephen William Hawking（1942〜2018）

イギリスの物理学者。
➡筋萎縮性側索硬化症にかかりながらも研究を重ね、相対性理論と量子力学を結びつけた新たな宇宙理論を展開した。ビッグバンやブラックホールにおける「特異点」の存在や、ブラックホールから粒子が放出される「ホーキング放射」を提唱した。

6

Chapter.

The Most Intelligible Guide
of General Knowledge in the World

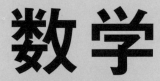

数学
Mathematics

人の歴史は数学とともに

この章では、数学そのものというよりも、人類の歴史のなかで数学がどのように発展していったのか、その発展の歴史を紐解いていきます。計算はほぼありませんが、数学における基礎的な理論や用語をなるべく分かりやすい言葉で学んでいきます。

ENRICH YOUR EDUCATION
教養を豊かにする

🔍 登場する主なキーワード

☑背理法　　　　☑三平方の定理　　☑公理　　　　　　☑幾何学
☑代数学　　　　☑方程式　　　　　☑座標　　　　　　☑微分法
☑解析学　　　　☑複素平面　　　　☑非ユークリッド幾何学
☑不完全性定理　☑トポロジー　　　☑ミレニアム懸賞問題

6-1 古代からの数学の世界
—数学とは世界中の叡智の集合体—

1 古代ギリシア数学の世界

まずはお話を始める前の注意点です。今回、あちこちの図で用いられる「0、1、2」などの算用数字や「＋、−、＝」などの計算記号は、あくまでも現代の数学で用いられている記号です。それ以前は記号ではなく言葉による説明であったり、今とは別の記号であったりしましたが、そのような当時の表記法で本章を説明すると理解が難しくなってしまうため、現代の表記法で表現させていただきました。そこはご理解ください。

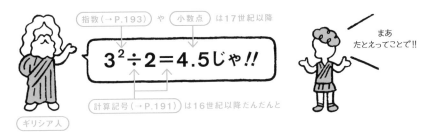

指数（→P.193）や 小数点 は17世紀以降

$$3^2 \div 2 = 4.5 じゃ!!$$

計算記号（→P.191）は16世紀以降だんだんと

ギリシア人

まあ たとえってことで!!

さて、それではお話を始めていきましょう。紀元前2000年ごろの古代オリエント文明などでは、**土地の正確な測量や徴税の計算といった実用目的**のため、支配階級が数学の研究を推進しました。

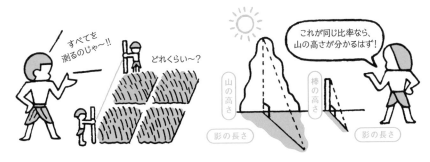

すべてを測るのじゃ〜!!

どれくらい〜？

これが同じ比率なら、山の高さが分かるはず！

山の高さ

棒の高さ

影の長さ

影の長さ

人類は文明発祥からすでに数を使いこなしており、
現代でいうところの三角比も使いこなしていたといわれている。

これが紀元前600年以降の古代ギリシア時代になると、自由で平等な都市国家の中で、自然を理性的に探究し解き明かそうという意識が芽生えます。ちなみに、英語の「物理学」を表す「フィジックス」(physics)は、ギリシア語の「自然」を表す「フュシス」(physis)を語源とし、英語の「数学」を表す「マスマティクス」(mathematics)は、ギリシア語の「学ばれるべきもの」を表す「マテーマタ」(mathemata)を語源とします。

自然そのものが「どのようなもの（質料）」でできあがっているかを、タレスは理性的に考察した。そして証明法の基本のひとつである「背理法」も発明した。

自然そのものが「どのようなかたち（形相）」でできあがっているかについて、ピュタゴラスは数学的秩序に従っていると考察した。そして「三平方の定理」も発見したとされている。

そして紀元前3世紀には、偉大なる数学者の一人である、**ユークリッド** ③ が登場します。彼は紀元前600年ごろからの300年にわたる数学的蓄積を整理して、数学書にまとめ上げました。それが、**以降の数学の基盤をつくり上げ、19世紀半ばまでヨーロッパ数学の教科書であり続けた**『原論』です。

[『原論』の構成]

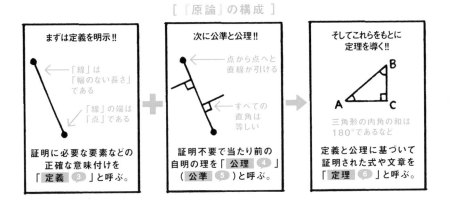

まずは定義を明示!!

「線」は
「幅のない長さ」
である

「線」の端は
「点」である

証明に必要な要素などの
正確な意味付けを
「 定義 ③ 」と呼ぶ。

次に公準と公理!!

点から点へと
直線が引ける

すべての
直角は
等しい

証明不要で当たり前の
自明の理を「 公理 ④ 」
（ 公準 ⑤ ）と呼ぶ。

そしてこれらをもとに
定理を導く!!

B

A C

三角形の内角の和は
180°であるなど

定義と公理に基づいて
証明された式や文章を
「 定理 ⑥ 」と呼ぶ。

数学３大分野のひとつで、図形や空間を研究する学問を「 幾何学 ⑦ 」といい
ますが、この『原論』の公理・公準をもとにした幾何学のことを、ユークリッドの
名をとって「ユークリッド幾何学」といいます。
このユークリッドの公準の中で、「平行線公準」というものがありますが、それ
は果たして本当に証明不要の自明の理なのか、後にアラビア数学で注目され、
19世紀にはとうとうその自明性がくつがえされることになります。

[公準（『原論』における図形に関する五つの公理）の５番目（平行線公準）]

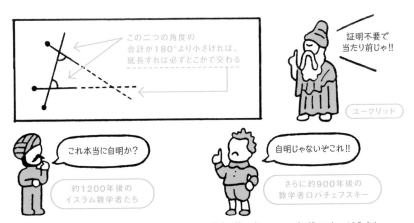

この二つの角度の
合計が180°より小さければ、
延長すれば必ずどこかで交わる

証明不要で
当たり前じゃ!!

ユークリッド

これ本当に自明か？

約1200年後の
イスラム数学者たち

自明じゃないぞこれ!!

さらに約900年後の
数学者ロバチェフスキー

平行線公準を自明とするユークリッド幾何学は約2100年後にくつがえされ、
それをもとに新たな幾何学（非ユークリッド幾何学）（→P.201）が構築される。

② 非ヨーロッパ世界における数学

数学は古代ギリシア世界だけで発達したものではありません。文明の発展した世界のあちこちで発達していきました。ここでは様々な地域の数学を見ていきましょう。

インドでは紀元6世紀ごろに「0」（ゼロ）の概念が誕生したことが有名ですが、空位（存在しない、空っぽ）を表記するうえでの「記号としての0」は紀元前の古代バビロニアやマヤ文明にも存在しました。そうではなく、**計算上で0を使用する「数としての0」を最初に用いたのが、インドなのです。**それは10進法の 位取り記数法 ⑧ の発明によって誕生します。この0を用いた10進法の位取りは計算を飛躍的に簡単にしました。後にヨーロッパに輸入されて、ヨーロッパ数学の大発展に貢献します。

[バビロニアの0]

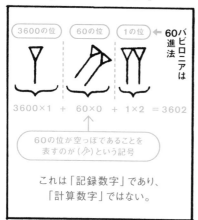

3600の位　60の位　1の位　←バビロニアは60進法

3600×1 ＋ 60×0 ＋ 1×2 ＝3602

60の位が空っぽであることを表すのが（少）という記号

これは「記録数字」であり、「計算数字」ではない。

[インドの0]

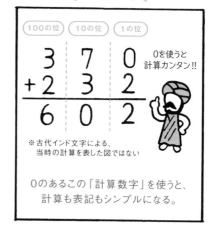

100の位　10の位　1の位

$$\begin{array}{r} 3\,7\,0 \\ +\,2\,3\,2 \\ \hline 6\,0\,2 \end{array}$$

0を使うと計算カンタン!!

※古代インド文字による、当時の計算を表した図ではない

0のあるこの「計算数字」を使うと、計算も表記もシンプルになる。

イスラム世界においては9世紀ごろから、古代ギリシアやインドの叡智（えいち）が集められ体系化されます。**数学の3大分野のひとつで、数の代わりに文字や記号を用いて考察する学問を「代数学」** ⑨ **といいますが、**特にこの代数学が フワーリズミー ④ らの活躍により大きな発展を遂げます。代数学自体は諸地域に起源がありますが、それを体系化したのが彼を中心としたアラビア人です。

[代数学……数の代わりに文字や記号を用いて考察する学問]

アルジェブラ
(algebra) ◀── フワーリズミーの著書名の一部「アル=ジャブル」が語源

Q りんごが3個入っている箱をいくつ用意したら、りんごは12個になる？

3x=12だから
x=12÷3だ

（現代人）

「箱の数」に3をかければ12個になるから、
「箱の数」は12を3で割ればいい！

（アラビア人）

当時は「x」「×」「=」などの記号は用いずに言葉で記したため、
「修辞的代数」と呼ばれる。

また、**幾何学の 三角法 ⑩** も、ギリシア数学の理論とインドの半弦の表を取り入れて、**イスラム世界で発展しました**。だから「sin」のもともとの語源はインドの「弦」を表す言葉でしたが、イスラム世界やヨーロッパ世界を経由していろいろな言語に訳されていくうちに、なぜか「曲がったもの」を表す「sin」が定着したそうです。ですから日本語訳の「正弦」や「余弦」のほうが、もともとの語源のイメージにより近いといえるかもしれません。

[三角法(trigonometry)……三角形の辺と角の関係を考察する学問]

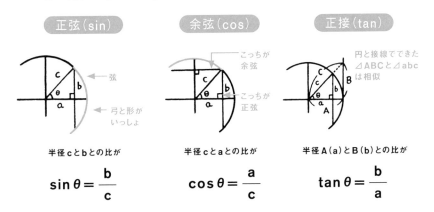

（正弦（sin））

弦

弓と形が
いっしょ

半径cとbとの比が

$$\sin \theta = \frac{b}{c}$$

（余弦（cos））

こっちが
余弦

こっちが
正弦

半径cとaとの比が

$$\cos \theta = \frac{a}{c}$$

（正接（tan））

円と接線でできた
△ABCと△abc
は相似

半径A(a)とB(b)との比が

$$\tan \theta = \frac{b}{a}$$

一方東アジアでは、紀元前100年から紀元100年の200年間で、中国最古の数学書である『九章算術』が成立しました。そこでは、文字を用いた等式（イコールを使った式）が「方程」という章で扱われていました。それが日本に取り入れられて、章名をもじって「 **方程式** ⑪ 」と名付けられて定着したそうです。ですからこの日本語訳は、もともとの「イコール」のイメージとはやや遠いかもしれません。ちなみに、江戸時代の日本では、「算聖」と呼ばれる **関孝和** ⑤ が登場するなど、数学は「和算」として独自の発展を遂げます。

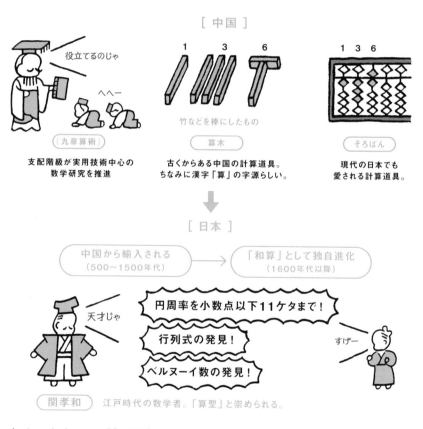

[中国]

役立てるのじゃ

へへー

［九章算術］
支配階級が実用技術中心の
数学研究を推進

1 3 6
竹などを棒にしたもの
［算木］
古くからある中国の計算道具。
ちなみに漢字「算」の字源らしい。

1 3 6
［そろばん］
現代の日本でも
愛される計算道具。

[日本]

中国から輸入される
（500〜1500年代）　→　「和算」として独自進化
（1600年代以降）

天才じゃ

円周率を小数点以下11ケタまで！

行列式の発見！

ベルヌーイ数の発見！

すげー

［関孝和］ 江戸時代の数学者。「算聖」と崇められる。

さて、これまでのお話に関連する以下の「数の概念」の簡単な説明を章末のキーワードにまとめておきました。理解の手助けにご活用ください。

自然数 ⑫　　**分数** ⑬　　**有理数** ⑭　　**無理数** ⑮　　**素数** ⑯

6-2 中世からの数学の世界
—天才たちが築く数学の礎—

ここでは、現代数学の礎（いしずえ）となる中世から近代数学の先駆けまでのヨーロッパ数学の流れを追いかけていきます。

1 近代数学までの序章

12世紀ごろから、中世ヨーロッパはイスラム世界から数学を輸入し、**ローマ数字より実用的なアラビア数字が導入されます**。そして文字の代わりに「＋、＝」などの記号を用いる「代数記号」が数世紀をかけてしだいに整備されていきました。

アラビア数字、10進法位取り法、代数記号、記号代数などの
おかげでより簡潔に、より複雑な計算が可能になった。

そして大航海時代のさなか、17世紀初頭に **ネイピア** ⑥ が、ある数を導くために同じ数を何回かければいいかを示す「 **対数** ⑰ 」(logarithm)を発明します。これにより、**10ケタをこえるような大きな数の計算が飛躍的に簡単になりました**。また、小数点の普及に貢献したのもネイピアです。これらは航海の助けになるだけでなく、天文学の発展にも大きく寄与しました。

航海上の航路測定では天体の位置をもとにした
三角法を用いたが、ケタが大きくてとにかく計算が大変だった。

$$\left\{ \begin{array}{ccc} \text{logarithm} = & \text{logos} & + \text{arithmos} \\ \text{ロガリズム} & \text{比・言葉} & \text{数} \end{array} \right\} \leftarrow \text{ネイピアの造語}$$

$$\log_{10}1000 = 3 \quad \leftarrow \boxed{\text{対数（かける回数）}}$$

底（かける数）　真数（結果の数）

ネイピアはケタの大きな数を「**かける回数**」で表したことで、
計算を飛躍的に簡単にした。

天体の距離も当然ケタの大きい数になるため、
対数は天体の観測にも大きく貢献した。

同じく17世紀に、数学界においても **デカルト** ⑦ が活躍します。彼の功績により、近代数学の発展に必要な条件がほぼそろっていきます。特にデカルトと **フェルマー** ⑧ による **座標** ⑱ の発明とその活用は、ギリシア数学以来の常識をこえる新たなステージへと、ヨーロッパ数学を導いていきます。

[数学者デカルトの功績]

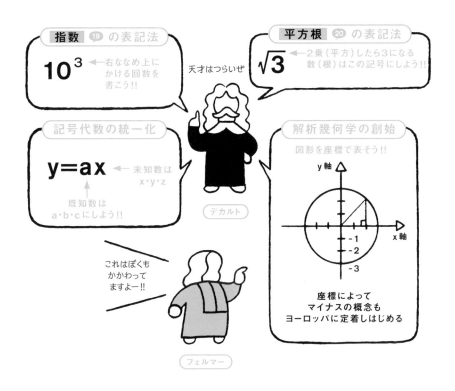

デカルトは哲学者としても天文学者としても数学者としても多大な功績を残した。
世界のパラダイムを変えた一人といえる。

2 微分積分法の誕生

ヨーロッパにおいて、近代数学に至る諸々の条件がこのようにお膳立てされ、とうとう **ニュートン** ⑨ や **ライプニッツ** ⑩ などが登場して、近代数学の基礎をつくり上げていきます。

ニュートンとライプニッツはそれぞれ、**曲線における接線の傾き**を導く「 **微分法** ㉑ 」と**曲線でできた範囲の面積**を導く「 **積分法** ㉒ 」が逆演算の関係であることを導きました。

[微分と積分]

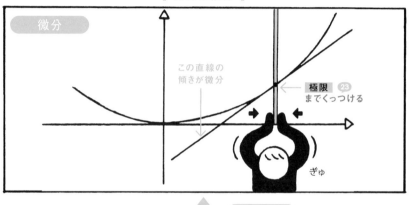

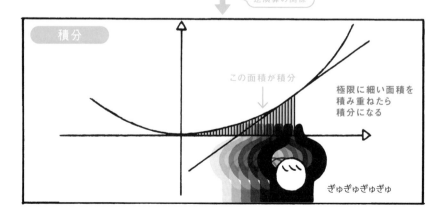

ニュートンは速度を微分した加速度を用いて運動方程式を導くなど、**微分積分法を物理学に応用して多大な成果を残します**。一方ライプニッツは微分と積分を含めた数学的思考の多くを記号化するなど、**数学の簡略化と普遍化に多大な成果を残します**。

[ニュートンの功績]

[ライプニッツの功績]

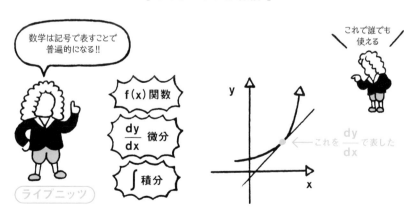

ニュートンとライプニッツのどちらが先に微分積分法を発見したかは当時から論争になっていたが、現在ではどちらもそれぞれで微分積分法を発見したと考えられている。

ニュートンとライプニッツ以降、様々な数学者たちの研究によって、**微分積分法が現在の形に洗練されていき、数学3大分野のひとつである**「 解析学 24 」ができあがりました。微分積分法は、現代の私たちの生活の計算になくてはならないものになっています。

[解析学の利用]

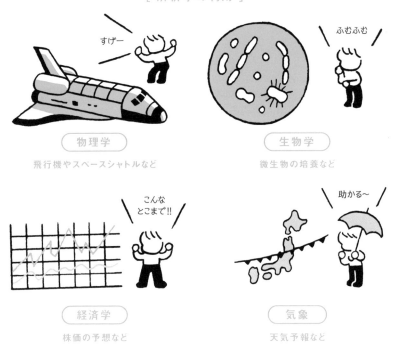

すげー

物理学

飛行機やスペースシャトルなど

ふむふむ

生物学

微生物の培養など

こんなとこまで!!

経済学

株価の予想など

助かる〜

気象

天気予報など

微分積分法の発見は、以降のテクノロジーの発展に多大な影響を及ぼしたものであり、今後も活用し続けられるものといえる。

さて、これまでのお話に関連する以下の「数の概念」の簡単な説明を章末のキーワードにまとめておきました。理解の手助けにご活用ください。

負の数 25 　　**整数** 26 　　**変数** 27 　　**定数** 28 　　**小数** 29

6-3 近現代の数学の世界
―天才たちが苦しむ数学の壁―

ここでは、近代から現代にかけての数学のおおまかな流れを追いかけていきます。

1 近代数学の叡智

18世紀になり、**数学史上最高の数学者の一人である オイラー** ⑪ が登場します。
オイラーは指数関数や三角関数などの関数の概念を発展させました。

[オイラーの功績①―関数の整備―]

関数 ㉚ （function）……変数 x によって変数 y の値も決まる式

$$y = f(x)$$

y は x の 関数 である

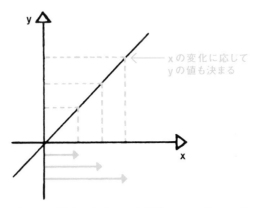

x の変化に応じて
y の値も決まる

f(x) の表記はライプニッツが始まりだが、これを整備したのはオイラーとされる。

[オイラーの功績②―指数関数と三角関数―]

指数関数 ③1

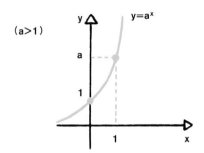

$$y=a^x$$ ←― 指数を変数にした関数

x の増加に対する y の増加が非常に大きくなる性質があるため、
急激な増加のことを「指数関数的な増加」と呼ぶ。

三角関数 ③2

$$y=\sin\theta$$ ←― 三角比の角度を変数にした関数

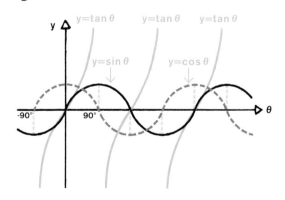

三角関数は後に「 **フーリエ解析** ③3 」として IT 分野に応用されていく。

円周率（π）のように代数方程式で導くことができない無理数を超越数といいますが、極限によって導かれた超越数であるネイピア数を、オイラーは「e」の文字で表しました。また、2乗したら−1になる想像上の数（虚数）を「i」の文字で表しました。

[オイラーの功績③—ネイピア数と虚数—]

ネイピア数

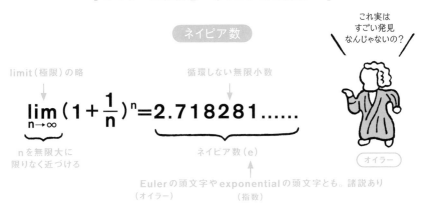

limit（極限）の略

$$\lim_{n \to \infty}\left(1+\frac{1}{n}\right)^n = 2.718281\ldots\ldots$$

循環しない無限小数

nを無限大に
限りなく近づける

ネイピア数（e）

Eulerの頭文字やexponentialの頭文字とも。諸説あり
（オイラー）　　　　　　　　　　（指数）

これ実は
すごい発見
なんじゃないの？

オイラー

金利の計算からたまたま導き出されたこの無限小数が、
解析学にとって本質的で有用な数と見抜いた。

虚数

$$i^2 = -1$$

イマジナリー　　ナンバー
imaginary number の頭文字
（想像上の）　　（数）

数学上あることに
しよう!!

オイラー

どんな実数でも2乗したら必ずプラスになるので、
2乗したらマイナスになる数は、想像上の数として「虚数」といわれた。
虚数は、虚数単位のiを用いて表される。

オイラーのこれらの業績から、世界で最も美しい数式と称えられる「オイラーの等式」が導き出されます。とてもシンプルな式ですが、**数学の3大分野である幾何学（π）と代数学（i）と解析学（e）をすべて用いています。**しかも二つの超越数や虚数を抱えていながら、**なんと解は0になるのです。**それぞれバラバラに導かれたものが、実はきれいにつながっていることが分かります。数学の美しさと深さを象徴した数式といえるでしょう。

[オイラーの功績④—オイラーの等式—]

続いて19世紀には、同じく**数学史上最高の数学者の一人である ガウス** ⑫ が登場します。彼は虚数の概念を積極的に用いて、**複素平面** ㉞ をつくり上げます。

[ガウスの功績—複素平面—]

複素数（complex number）……実数と虚数で構成される数
コンプレックス ナンバー
（入り交ざる）

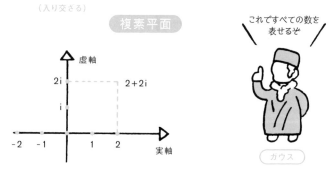

他にもガウスは数多くの業績を残したため、「数学の王」と称された。

② 新しい数学の誕生

同じく19世紀にはユークリッド幾何学における第5公準をくつがえした、球面や曲面などの非平面による「**非ユークリッド幾何学** ㉟」が産声をあげます。これは後のアインシュタインの相対性理論(『**Chap.3 相対性理論**』)や宇宙の構造理解(『**Chap.5 宇宙**』)などで大いに生かされます。

[ユークリッド幾何学]

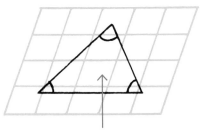

内角の和は180°

ユークリッドの平行線公準(→ P.187)は、
平面の世界だけでしか成り立たない。

[非ユークリッド幾何学]

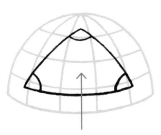

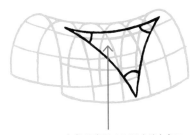

内角の和は180°より大きい　　　　内角の和は180°より小さい

平面ではなく、球面などの曲面を考えることで、
新たな幾何学を考えることができる。

20世紀になると、幾何学・代数学・解析学の**数学3大分野の基盤**となる、**論理学** ㊱ や **集合論** ㊲ などの「**数学基礎論** ㊳」がつくられ、数学は巨大な体系になろうとします。しかし集合論の論理それ自体には根本的な矛盾が見つかっていますし、後にはゲーデルにより「**不完全性定理** ㊴」も提唱され、**数学は完全に矛盾なき体系とはいえないこと**が明らかになってしまいました。

集合論に根本的な矛盾があることを「数学の危機」として、
20世紀の数学者たちは数学基礎論を完全なものにしようと努めたが、
逆にゲーデルによって数学の「不完全性定理」が提唱されてしまった。

また、数学における厳密さを見つめなおし、**図形や空間を、その特徴や骨組みに注目することで単純化して扱う幾何学**が誕生します。それが **トポロジー** ㊵ です。 **ポアンカレ** ⑬ が創始したトポロジーは、路線図など、私たちの身近な分野にも応用されています。

[トポロジー（位相幾何学）]

ギリシア語の topos（位置）と logos（論）を合わせた造語

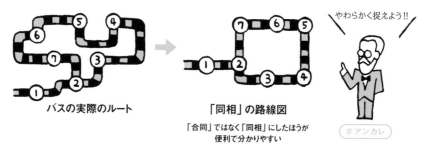

辺の長さや角度などの厳密さにこだわらず、つながり方や構造を
重視して単純化することで、分かりやすくすることができる。

③ 数学の謎に挑む現代

現代に至るまで誰も解き明かすことのできなかった数学の謎として有名なものに、17世紀に記された「フェルマーの最終定理」というものがあります。以後300年間多くの数学者が挑み挫折したこの定理ですが、**20世紀後半になり、とうとう証明されました。**

───────[フェルマーの最終定理]───────

3以上の自然数nに対して

$$x^n + y^n = z^n \text{ を満たす}$$

自然数の組(x、y、z)は存在しない。

これのすごい証明できたけど、余白がせまいから書かなかったよ

できない～

どうやったんだ～

フェルマー

数学者たち

この一見シンプルな命題の証明が誰もできず、
「フェルマーの最終定理には手を出すな」とまで言われた。
しかし1994年にアンドリュー・ワイルズが
様々な先端理論を駆使して証明してみせた。

このように数学には、いまだに証明ができない未解決問題がたくさんあります。その中から七つが厳選され、懸賞金がかけられました。2000年に発表されたそれを「**ミレニアム懸賞問題 ④**」といいます。この中でトポロジーにかかわる**ポアンカレ予想**は、**2006年に解決されました**。

2000年にアメリカのクレイ数学研究所が
七つの未解決問題に100万ドルの懸賞金をかけた。

[ポアンカレ予想]

「単連結な3次元閉多様体は、3次元球面と同相である」

超意訳すると

穴のあいていない3次元の有限な形は
3次元の球の面と同じ相（性質や特徴が同じ）てある

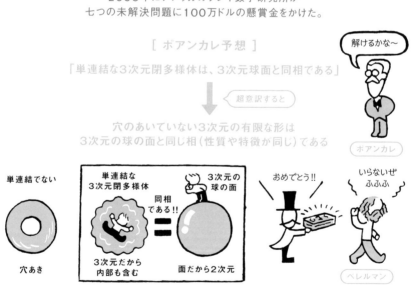

1904年にポアンカレによって発表されたこの予想は100年証明されなかったが、
2002年にペレルマンが様々な理論を組み合わせて証明し、2006年に認められた。

また、ミレニアム懸賞問題とは別に重要な未解決問題として、**ABC予想**というものがあります。これに対する**難解で革新的な証明**が2012年に 望月新一 ⑭ によってなされ、2020年に学術的な論文として認められました。

[ABC予想]……「a+b=c」の組み合わせに関する予想

望月は私たちの数学の世界（数学宇宙）とは別次元の無数の数学宇宙を行き来して
ABC予想を証明する離れ技を見せた。その論文は数百ページにも及ぶ。

このように数学はさらに新たな次元に進み、宇宙の謎にまで近づいているといえるでしょう。

最後に、これまでのお話に関連する以下の「数の概念」の簡単な説明を章末のキーワードにまとめておきました。理解の手助けにご活用ください。

虚数 ㊷   **実数** ㊸   **複素数** ㊹   **超越数** ㊺

本章のお話は以上です。次章では化学の世界に入っていきます。

KEYWORD & KEYPERSON
重要用語と重要人物を掘り下げる

古代ギリシアやインドなど、数学はそれぞれの地域で発展していきましたが、イスラム世界によってそれらはまとめられ、十字軍をきっかけにして中世ヨーロッパ世界にもたらされました。多くの天才たちによって数学は進歩・発展を重ねて、現代の数学に連なる体系がつくられていきました。一方、現代になると、完全と思われた数学に諸問題が見つかったり、証明の難しい難問に悩まされたりと、私たちは新たなる大きな壁に直面するようになりました。しかし、それを乗りこえることでさらなる数学の発展が期待されます。

※これまでのChapterですでに登場したワードは、簡単な意味のみ再掲しています。

6-1
古代からの数学の世界
数学とは世界中の叡智の集合体

KEYWORD

❶ 背理法

reductio ad absurdum〈羅〉

ある主張が正しいことを証明する技術のひとつ。ある主張が正しいと証明したければ、その主張が間違いであると仮定したら矛盾が生じることを証明すればよい。

➡たとえば、「Aさんが犯人ではない」ことを証明したいときは、「Aさんが犯人である」ことを仮定しても犯行が不可能であることを証明すればよい。

❷ 三平方の定理

Pythagorean theorem

直角三角形の3辺の長さの関係を表す定理。直角三角形ABCの斜辺の長さをcとするとき、他の2辺aとbとの関係において、$a^2 + b^2 = c^2$が成り立つ。

➡別名ピュタゴラスの定理。ちなみに「平方」の「平」とは平面を表し、「方」とは四角形のこと。正方形の面積は1辺を2乗すれば得られるので、「平方」は「2乗」を指す言葉になる。

❸ 定義

definition

とある概念の意味を明確化すること。

➡ユークリッド幾何学における証明のはじめの一歩。まずは説明で使われる用語や概念の定義を行い、話し手と聞き手の間で用語や概念の意味を共有化させる。

❹ 公理

axiom

証明不要で自明のことがら。

➡ユークリッド幾何学における証明の第二歩目。定義づけされた用語や概念を用いて、証明不要で自明である公理を説明する。

ちなみに現代では曲面や球面などの様々な状況が想定されて（非ユークリッド幾何学）、ユークリッド幾何学における公理は「証明不要で自明の理」とはいえなくなってしまった。そのため、公理の定義は「理論の前提となる仮定」となっている。

※〈羅〉：ラテン語を表す。

❺ 公準

postulate

公理の中でも特に幾何学的な内容を持つもの。

➡ユークリッド幾何学においては、次の五つの命題を指す。

①任意の点から任意の点に直線が引ける。

②限られた直線を延長できる。

③任意の中心と半径で円が描ける。

④すべての直角は等しい。

⑤ひとつの直線が二つの直線に交わり、その一方の側の内角の和が180°より小さければ、その2直線を延長すると必ずどこかで交わる（平行線公準）。

ちなみに現代では公準と公理を合わせて「公理」としている。

❻ 定理

theorem

定義と公理に基づいて証明された命題。

➡ユークリッド幾何学における最後の一歩。定義づけされた概念を用いた公理から、演繹的な推論を重ねて定理を導く。ちなみに演繹（deduction）とは一般的原理から個別の結論を導くこと。

❼ 幾何学

geometry

図形や空間の性質を研究する学問。

➡ギリシア語において、geōは土地を、metronは測量具を意味する。古代から土地の測量のために図形の概念が発達したといえる。

❽ 位取り記数法

positional notation

数を数字で表す方法のことを記数法といい、数のケタで位を表す記数法のことを位取り記数法という。

➡たとえば10進法であれば、0から9までの数字ですべての数を表す。9より大きい数字は左隣の位（2ケタ目）に1を置いて10にする。一方2進法であれば、0と1の数字ですべての数を表す。1より大きい数字は左隣（2ケタ目）に1を置いて10にする。10進法における"十一"は「11」だが、2進法における"十一"は「1011」になる。

❾ 代数学

algebra

数の代わりに文字や記号を用いた計算や式について研究する学問。

➡フワーリズミーの著書のタイトル中に「al-jabr」（アル＝ジャブル）という表記があり、これがラテン語に翻訳されて、今日で代数学を表す英語のalgebra（アルジェブラ）になったという。

❿ 三角法

trigonometry

三角形の辺と角の関係を考察する学問。

➡直角三角形の長さの比は太古の時代から理解され、測量などに生かされたとされる。それを体系的な学問にしたのはイスラム世界のフワーリズミーらと近代ヨーロッパのオイラーである。

⓫ 方程式

equation

文字や記号を使って変数の値を求めるための等式。

➡文字を含む等式には方程式と恒等式の2種類があり、方程式は文字に特定の数字を当てはめないと等式が成り立たない式。たとえば$2x＝6$の場合、xに3を当てはめないと等式が成り立たないので方程式。一方、恒等式は文字にどんな数字を当てはめても等式が成り立つ式。たとえば$2x＋2＝2(x＋1)$の場合、xにどんな数字を当てはめても等式が成り立つので恒等式。

⓬ 自然数

natural number

1から順に1ずつ足していくことで2、3、4、…と数えられる、最も基本的な数。

➡具体的な生活の現場で使われる数であり、最も古くから存在する数といえる。

⓭ 分数

fraction

「二つの数の比の値」を表す数。

➡正の数の分数は、古代エジプトなど、古くから様々な文明で存在する。

⓮ 有理数

rational number

分数で表すことのできる数。

➡整数(→ ㉖)は$2＝2/1$のように分数で表せるので当然有理数。0.75のような有限小数も3/4と分数で表せるので有理数。それから0.33333…や0.454545…のような循環小数もそれぞれ1/3や5/11で表せるので有理数。ちなみに有理数の語源はラテン語のratio(比)。分数で表すとは、$2/3＝2：3$のように、比で表すことができるということ。古代ギリシアにおいては、きれいに比で表すことのできる数が尊ばれた。

⓯ 無理数

irrational number

分数で表すことのできない数。

➡$\sqrt{2}＝1.41421356…$や$\pi＝3.14159265…$のような無限小数は分数で表すことができないので無理数。分数で表すことができないということはすなわち、比(ratio)で表すことができないということ。古代ギリシアにおいては、比で表せない無理数は存在がタブーとされた。

⑯ 素数

prime number

1とその数以外で割り切れない数。

➡たとえば、13は1と13以外で割り切れないので素数といえる。素数は神秘的で最も重要な（prime）数として、古代ギリシアでは特に研究がさかんだった。ちなみに、ユークリッドの『原論』においても素数は大きく取り扱われ、素数が無限に存在することが証明されている。また、素数は単に純粋数学で研究されるだけではなく、インターネットにおける電子暗号の技術などに活用されている。

KEYPERSON

① タレス

Thalēs（前624ごろ〜前546ごろ）

古代ギリシアの哲学者。

➡エジプトから幾何学を取り入れて、ピラミッドの高さを影の長さから測定したとされる。また、万物の始原は水と考えた。

② ピュタゴラス

Pythagoras（前570ごろ〜前496ごろ）

古代ギリシアの哲学者・数学者。ピタゴラス。

➡三平方の定理を発見したとされている。万物の始原を数と考えて、世界を数的関係に基づく一大調和とみなした。また、彼は自ら教団を創立し、厳しい戒律の中で生活を送った。

③ ユークリッド

Euclid（前330ごろ〜前260ごろ）

古代ギリシアの数学者。

➡先人たちの数学の業績を集大成して、論理的組織体系に秩序づけた『原論』は、聖書に次いで多くの版が重ねられるほど、ヨーロッパ学問に影響を与え続けた。他にも『光学』『天文現象論』『音楽原論』などの本を書いている。

④ フワーリズミー

al-Khwārizmī(780ごろ～850ごろ)

イスラーム世界の数学者・天文学者。

➡インドの数学をイスラム数学に導入して、アラビア記数法を普及させた。彼の著書はヨーロッパでラテン語に翻訳されて、ヨーロッパ数学に多大な影響を及ぼした。現代数学における algebra（代数学）や algorithm（計算処理手順）などは、彼の業績が語源になっている。

⑤ 関孝和

Seki Takakazu(1640ごろ～1708)

江戸時代前期の数学者。

➡関流和算の祖。中国の算術を改良して、独自の算術を創造した。筆算による代数学を創始したり、行列式論や正多角形理論などを開拓したりして、日本独自の優れた算術の発展に大きく貢献した。

6-2
中世からの数学の世界
天才たちが築く数学の礎

KEYWORD

---

⑰ 対数

logarithm

ある数を導くために、同じ数を何回かければいいかを示した数。

➡「$\log_{10}100$」は、10（底数）を何乗すれば100（真数）になるかを表しており、答えは2となる（10を2乗すると100になるため）。この答えである2が対数。ケタの大きい数字どうしのかけ算も、それらの対数どうしを足し算すれば済むことになるので、対数はケタの大きい数字どうしを計算するのに便利である。

⑱ 座標

coordinates

平面や空間における点の位置を示す数の組。

➡たとえば、x軸とy軸が直交する座標平面上のとある点の位置は、$(x=2、y=3)$などと表すことができる。これによって図形も数や文字で示すことができ、幾何学を代数で表す解析幾何学が誕生した。

⑲ 指数
index number

何乗すればよいかを、数や文字の右肩に置いて示した数。

➡「10^2」は、10（底数）を2乗（指数）したものを表す数であり、この数を言い換えると100になる。指数はケタの大きい数字をコンパクトに表記するのに便利である。

⑳ 平方根
square root

2乗したらaとなる数をaの平方根という。

➡平方根については、ピュタゴラスの有名な逸話がある。ピュタゴラスは数学と宗教を結びつけ、分数（自然数の比）で表せる数を崇拝していた。しかし、$\sqrt{2}$ は分数で表すことのできない無理数だったため、それを発見した弟子を殺してまでその存在を否定しようとしたというのである。ちなみに「$\sqrt{}$」の記号は、英語のroot（根）に相当するラテン語radixの頭文字のrを引きのばしたものの上に、デカルトが横棒を付け加えることで生まれたとされる。

㉑ 微分法
differential calculus

曲線における接線の傾きを計算する数学の一分野。

➡物理学への応用例としては、だんだんと速度が上昇（加速）しながら移動する物体に対して、移動距離を移動時間で割る（微分する）と、平均の速さ（速度）が導かれ、さらにその瞬間の速度を計算する（微分する）と、どれだけ速度が上がっているか（加速度）が導かれる。ちなみに、曲線における接線の傾きの計算はニュートン以前にもデカルトなどによってなされていたが、積分法と逆演算であることまでは導いていなかった。

㉒ 積分法
integral calculus

図形の面積や曲線の長さを計算する数学の一分野。

➡物理学への応用例としては、だんだんと速度が上昇（加速）しながら移動する物体に対して、各瞬間の速度（加速度）をすべて積み重ねる（積分する）と、平均の速さ（速度）が導かれ、さらにそれを移動時間ぶんすべて積み重ねる（積分する）と、移動距離が導かれる。ちなみに積分法に近いものは、古代ギリシア時代からすでに存在していた。

㉓ 極限
limit
とある値にぎりぎりまで近づけた値。
➡曲線における、とある点と点の間の距離を極限まで0に近づけたときの、その点と点を結びつけた線が接線といえる。点と点の間の距離を0にしてしまったら、ただのひとつの点になって線が生まれなくなるため、距離を0にするのではなく、極限まで0に近づけるという方式をとった。

㉔ 解析学
analysis
極限の概念をもとにした、微分積分法を主とした学問。
➡もともとは17世紀前半のデカルトの時代に、記号を用いた計算方法をおおまかに「解析」と呼んだことから始まる。

㉕ 負の数
negative number
0よりも小さい数。
➡負の数は古代中国の『九章算術』ですでに記載されており、7世紀ごろのインドでも導入されていた。ヨーロッパではイスラム世界を通して12世紀ごろに伝わり、定着しはじめたのは座標の発明ごろからとされる。

㉖ 整数
integer
自然数（1、2、3、4、…）と0と負の自然数（−1、−2、−3、−4、…）を合わせた数の総称。
➡整数は正の数も負の数も無限に存在する。ちなみに、整数どうしの足し算、引き算、かけ算の結果は必ず整数になる。これを「整数の集合は"閉じている"」という。

㉗ 変数
variable
変化する量を表す文字。
➡ヨーロッパで数の代わりに文字記号を本格的に用いるようになったのは、16世紀のヴィエトから。変数の文字記号は17世紀以降デカルトによって整理され、代数では主に「x、y、z」で表すようになった。

㉘ 定数
constant
変化しない量を表す文字。
➡デカルトによって、変数と定数とで文字記号を使い分けるようになり、定数の文字記号は代数では主に「a、b、c」で表すようになった。

㉙ 小数

decimal

1よりも小さい正の実数。並びに、整数ではない実数を、小数点を用いて10進法で表したもの。

➡古代バビロニアには60進法の小数が実在し、東洋では分数よりも一般的に小数が用いられていたが、ヨーロッパで小数が用いられるようになったのは16世紀から。本格的な使用はネイピアが小数点を発明してから。

KEYPERSON

⑥ ネイピア

John Napier(1550〜1617)

イギリスの数学者。

➡対数を発明し、1614年には対数表を添えた書『驚くべき対数の法則の記述』を発表。後にはブリッグスと協力して、10を底とする常用対数表も作成した。また、対数を応用した計算機も発明し、近代計算機の原型となった。

⑦ デカルト （◗Chapter1）

René Descartes(1596〜1650)

フランスの哲学者・物理学者・数学者。

➡1619年に、幾何学に基づく万学統一の霊感を得たとされ、数学的方法を一般化した「普遍数学」の構想に行き着いた。座標を導入したことにより、解析幾何学を創始したことでも知られる。

⑧ フェルマー

Pierre de Fermat（1601〜1665）

フランスの政治家・数学者。

➡議員の職務の余暇に数学を研究し、その成果をデカルトなどの数学者に手紙で知らせていたが、それを論文や著書によって公表することには消極的だった。そのため、彼の業績の多くは死後まとめられた。座標軸を用いた解析幾何学だけでなく、パスカルとの文通を通して、確率論の誕生にもかかわっている。彼が愛読していた本の余白に書き込まれた「フェルマーの最終定理」は、以後300年間多くの数学者を悩ませた。

⑨ ニュートン　（◻Chapter1・2・3・5）

Isaac Newton（1642〜1727）

イギリスの物理学者・天文学者・数学者。

➡数学者としてのニュートンといえば、微分積分法の創始者として有名。ペストで大学が休校して帰郷したときに、万有引力の法則と同じく微分積分法も着想していたのだが、論文にまとめて発表するのが遅れてしまい、ライプニッツと先取権をめぐり激しい争いを起こした。

⑩ ライプニッツ

Gottfried Wilhelm Leibniz（1646〜1716）

ドイツの哲学者・数学者。

➡ニュートンとは独立に微分積分法を発見し、微分・積分の記号を考案した。哲学者としても、神学的な目的論的世界観と自然科学的な機械論的自然観の調停を目指し、モナド（単子）論や予定調和説を唱えた。

6-3
近現代の数学の世界
天才たちが苦しむ数学の壁

KEYWORD

㉚ 関数

function

変数 x の値が決まることで変数 y の値も決まる、変数 x を含んだ y の式。

➡日本語の「関数」の語源については、音訳説（関数の昔の表記「函数」が、ファンクションにおける中国語の音訳であるとする説。「函」の字は、中国語では「ファン」と発音した）などがある。

㉛ 指数関数

exponential function

$y = a^x$ のように、指数の部分を変数 x にした関数。

➡ちなみに対数関数は、$y = \log_a x$ のように、真数の部分を x にした関数であり、$y = a^x$ の指数関数の逆関数（x と y を入れ換えて作り変えた関数）となる。

---

❸❷ 三角関数

trigonometric function

三角比を拡張した関数の総称。

➡三角比とは、直角三角形のひとつの鋭角によって決定される辺の長さの比率を表すものである。三角関数は、この三角比を、鋭角に限定されない一般の角度にまで拡張することで得られる関数のことをいう。

❸❸ フーリエ解析

Fourier analysis

複雑な関数を、単純な三角関数に分解することで解析する方法。

➡フランスの数学者のフーリエは、「関数は、複数の三角関数の合成によって表現できる」と考え、複雑な関数を単純な三角関数に分解する方法を導き出した。複雑なデータを単純化できるフーリエ解析は、IT分野におけるデータの圧縮など、様々な分野に応用されている。

❸❹ 複素平面

complex plane

実数を横軸、虚数を縦軸にした座標平面。

➡別名ガウス平面。横軸を実軸、縦軸を虚軸という。

❸❺ 非ユークリッド幾何学

non-Euclidean geometry

ユークリッド幾何学の第5公準である平行線公準を、他の公理に置き換えることで体系化された幾何学。

➡平面ではなく、球面などの曲面において成り立つ幾何学。曲面上ならば、平行線が交わる場合も考えられる。

❸❻ 論理学

logic

正しい思考の筋道や構造を研究する学問。

➡アリストテレスが体系化し、スコラ学を経て、19世紀以降には記号と数学を駆使した記号論理学が成立した。

❸❼ 集合論

set theory

集合の性質を数学的に研究する分野。

➡19世紀末にカントルが創始し、20世紀には数学と論理学の発展に多大な影響を及ぼした。ただ、集合論からはいくつかのパラドックスが論理的に生じてしまった。

㊳ 数学基礎論

foundation of mathematics

数学の基礎に関する諸理論のこと。

➡カントルの集合論が持つパラドックスを解決するために、数学の基礎自体が見なおされ、研究されることとなった。そこから、「論理主義」(記号論理で数学を再構成すること)、「直観主義」(数学を人間の直観から導くこと)、「形式主義」(数学を形式化して無矛盾性を証明すること)という三つの立場が激しく論争し、影響し合うことで、今日の数学基礎論ができあがった。

㊳ 不完全性定理

incompleteness theorem

数学で「形式的体系が無矛盾である」ことを、その形式的体系の中では証明不可能なことを示した定理。

➡諸科学の中で、数学こそ厳密な論証を誇る理想的な理論体系と信じられていたが、その信頼がゆらぐことになった。しかしこれらの研究は、プログラミング言語などの情報科学の発展に多大な貢献をもたらすことになった。

㊵ トポロジー

topology

図形の位相的に不変な性質を研究する幾何学。

➡20世紀にポアンカレによって創始された現代数学の一分野。たとえば、ゴム膜でできた球面と楕円面という曲面を考える場合、両者は面を切ったり張ったりすることなく伸縮させるだけで互いに移り変わることができるため、同じ性質を共有している(同位相である)といえる。

㊶ ミレニアム懸賞問題

millennium prize problems

2000年に懸賞金がかけられた、七つの数学上の未解決問題。

➡アメリカのクレイ数学研究所が100万ドルの懸賞金をかけた。その七つの問題の中で、ポアンカレ予想はロシアのペレルマンによって解決されたが、彼は賞金の受け取りを拒否したため、そのお金は数学界の貢献に使われることとなった。

㊷ 虚数

imaginary number

「i」(2乗したら-1になる数)という虚数単位を用いて表された数。

➡複素数は$a+bi$(aとbは実数)という形で表されるが(→ ㊹)、この複素数において$b \neq 0$のときの数が虚数である。

❹❸ 実数

real number

整数・分数を合わせた有理数と、無理数を含めた数の総称。

➡実数の定義とその研究は、19世紀から本格的になされた。

❹❹ 複素数

complex number

実数と虚数で構成された、すべての数。

➡a＋bi（aとbは実数で、iは虚数単位）という形で、実数と虚数を含めたすべての数を表すことができる。

❹❺ 超越数

transcendental number

小数点以下が不規則に無限に続く、どんな代数方程式の解にもならない数（円周率πやネイピア数eなど）。

➡超越数はすべて無理数であり、有理数ならば超越数ではない（たとえば、1/2は2x－1＝0という代数方程式の解になる）。しかし、無理数ならば必ず超越数というわけではなく、たとえば√2 は無理数であるが、$x^2-2＝0$という代数方程式の解になるため、超越数ではない。

KEYPERSON

⑪ オイラー　（▶Chapter2）

Leonhard Euler（1707〜1783）

スイスの数学者。

➡18世紀最高の数学者の一人。1741年にベルリン科学アカデミーの会員になった。過労のため1738年ごろに片目の視力を失い、晩年にはもう片方の目も失明した。しかし屈することなく数学の研究を続け、数多くの功績を残した。

⑫ ガウス

Karl Friedrich Gauss（1777〜1855）

ドイツの数学者・天文学者。

➡19世紀最高の数学者の一人。1801年に著した『整数論研究』により、整数論を完全な体系にした。他にも最小2乗法の発見や複素数の導入、曲面の研究など、多くの成果を残した。一方で、小惑星の軌道算出、地磁気の観測、毛管現象の研究など、多方面において多大な功績を残した。

⑬ ポアンカレ
Jules Henri Poincaré(1854~1912)
フランスの数学者・哲学者。
➡1887年よりパリ科学アカデミー会員。
純粋数学と応用数学のほとんどあらゆる
領域にわたって優れた業績を残した。位
置解析の研究からトポロジー(位相幾何
学)を創始した。思想家としても、科学の
実用主義的立場と対立して、科学のため
の科学思想を主張した。

⑭ 望月新一
Mochizuki Shinichi(1969~)
日本の数学者。
➡16歳にしてアメリカのプリンストン大
学に入学し、32歳にして京都大学数理解
析研究所教授に。約10年の研究の末、43
歳にしてABC予想を証明する、500ペー
ジにもわたる論文を公開した。その論文の
正しさは、2020年に認められた。

7

Chapter.

The Most Intelligible Guide
of General Knowledge in the World

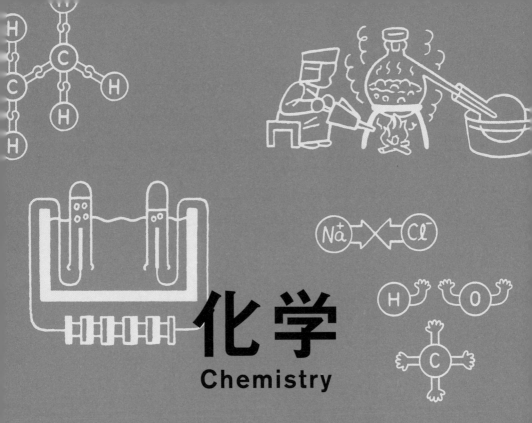

化学
Chemistry

化学の世界の見えないからくり

この章では、現在の化学の恩恵を受けた私たちの豊かな生活が、どのような研究過程を経て得られたものなのかを学んでいきます。この章でも、化学で用いられる独特な用語の意味を語源から言葉にして説明していきます。

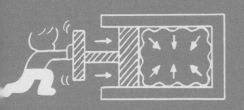

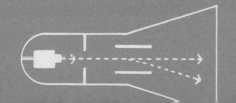

ENRICH YOUR EDUCATION

教養を豊かにする

🔍 登場する主なキーワード

☑原子	☑元素	☑酸性	☑アルカリ性
☑分子説	☑電気分解	☑有機物	☑無機物
☑イオン	☑官能基	☑周期表	☑同位体
☑モル	☑『沈黙の春』	☑高分子化学	

7-1 万物の根源は何か
―四元素説から分子説まで―

❶ 中世以前の化学

化学(chemistry)の語源はエジプト語のkhem(豊かな黒土)といわれています。酒造(発酵)や金属(冶金)といった形で、古代から人類は化学の技術を用いていました。

[古代エジプトのビールづくりと鋳造]

しゅわああ

銅の入ったるつぼ
↓
ドロリ

ごおお

古代エジプト人は豊かな黒土から生まれた作物や鉱物を生かす技術を手に入れていた。

さらに古代ギリシアにおいてはすでに、万物の根源は 原子 ❶ (アトム)であると デモクリトス ① が提唱していました。しかしその後、アリストテレス ② が万物の根源を「火」「空気」「水」「土」の四 元素 ❷ であるとしたことで、**原子論は以降2000年以上も封じられることになりました。**

[アリストテレスの四元素]

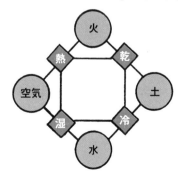

火
熱　乾
空気　土
湿　冷
水

万物は「火」「空気」「水」「土」という**四つの元素**からできている。
そしてそれは、「熱」「冷」「湿」「乾」という**四つの性質の組み合わせ**で成り立っている。

化学が技術的に発展したのはイスラム世界においてです。彼らはアリストテレスの理論である**四元素の組み合わせや分量を変えることで、様々な金属を生み出そ**うとしました。それが 錬金術 ❸ です。

[イスラム世界の錬金術]

ぐつぐつ

アリストテレスの四元素説をもとにして、
水銀と硫黄の配合から金をつくろうとした。

また、すっぱくなる性質である「 酸性 ❹ 」や、酸性の水から塩を生む基となる性質である「 アルカリ性 ❺ 」(アラビア語で灰の意)もこのころすでに知られていました。

[酸性とアルカリ性]

すっぺ～

果物などにあるすっぱい
性質は、金属を腐らせたり、
ミルクを固めたりと、
古くから注目されていた。

あれ？　木灰

洗剤として使われていた
木灰を酸性の水に混ぜると、
中和されてすっぱくなくなる。

にげ～

木灰の汁を煮つめてできた
結晶はにがかったり
しょっぱかったりした。

しかしそれらの技術が十字軍を経てヨーロッパ世界に伝わっても、キリスト教からは異端とみなされて、天文学や数学のようにすぐには学問として日の目を見ることができませんでした。

② 科学としての化学

東ローマ帝国の滅亡した15世紀以降になって、錬金術や薬学などの化学的な研究はようやく学問として認められるようになり、17世紀になるとデモクリトスの原子論がふたたび注目を浴びはじめます。そして「**近代化学の祖**」と呼ばれる **ボイル** ③ が登場します。彼は**実験と観察により物質の成分を検出**しようと試み、その行為を「 **分析** ⑥ 」と名付けました。

ボイルの立ち位置は、化学だけでなく科学の進歩に大きく貢献した。

18世紀になると「**近代化学の父**」と呼ばれる **ラボアジェ** ④ が登場します。彼は化学をきちんと**数値や数量で表して観察する**という、**定量的** ⑦ 観察を行いました。これにより「質量保存の法則」や燃焼理論を導き出します。

[質 量 保 存 の 法 則]

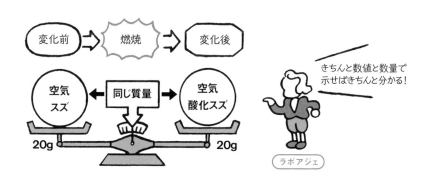

数値・数量を実験前と実験後にきちんと測る精密さも、科学の進歩に大きく貢献した。

また、このころには水素や酸素が発見されていき、ラボアジェは33種もの元素をまとめ上げました。これによりアリストテレス時代から続く、**四元素神話が終焉**します。そして19世紀初めに **ドルトン** ⑤ は、すべての元素は分割不可能な最小物質である原子でできているという、「**原子論**」を発表しました。古代ギリシアのデモクリトスの提唱した原子論が、ここで復活します。

紀元前にデモクリトスが提唱した原子論は、
17世紀以降ふたたび日の目を見ることができた。

先ほど登場したボイルは、一定の温度下では気体の体積は圧力に反比例するという法則を発見しました。

[ボイルの法則]

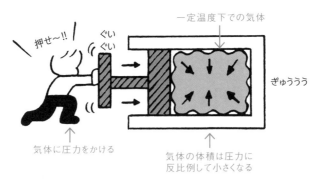

※フランスのマリオットも個別にこの法則を発見しているため、
「マリオットの法則」「ボイル＝マリオットの法則」とも呼ばれる。

一方でシャルルは、一定の圧力下では気体の体積は温度に比例するという法則を発見しました。

[シャルルの法則]

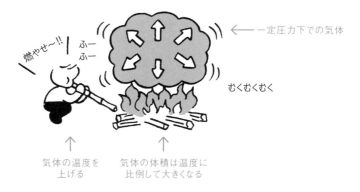

※後にフランスの ゲイ・リュサック ⑥ がこの法則をより精密に測定したため、「ゲイ・リュサックの法則」「シャルル＝ゲイ・リュサックの法則」とも呼ばれる。

この二つの法則は後に組み合わされて、「 ボイル＝シャルルの法則 」 ❽ としてひとつにまとめられました。

[ボイル＝シャルルの法則]

※誰がこれを組み合わせたかは不明。また、この法則が成り立つ気体のことを「理想気体」という。実在気体ではこの法則は近似的にしか成り立たない。

また、ゲイ・リュサックによって「 気体反応法則 ⑨ 」が発見されたのですが、それはドルトンの原子論とは矛盾するものでした。

[気体反応法則]

水素２：酸素１：水蒸気（水）２

気体の反応では、反応前後の体積比が簡単な整数比になる。

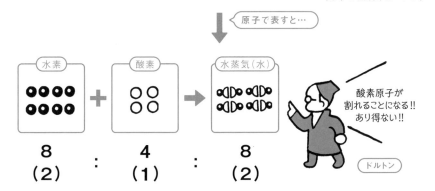

その矛盾を解決する説が、1811年に アボガドロ ⑦ の提唱した「 分子説 ⑩ 」です。**原子二つをひとつのセットにすることで、気体反応法則の矛盾を解決する**という画期的な発想でした。実は当初、この説はほとんど賛同を得られませんでしたが、1860年の国際会議で脚光を浴び、20世紀になりとうとうその存在が証明され、現在の常識となったのです。

[気体反応法則を分子説で説明]

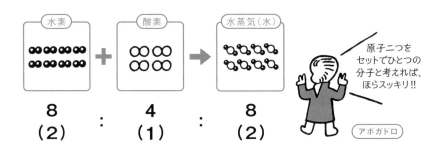

7-2 現代化学に続く道
―元素の「つながり」の謎を追う―

❶ 「つながり方」への関心

18世紀末に、ボルタがボルタ電池を発明します（→P.59）。このボルタ電池を用いた 電気分解 ⑪ により、新しい元素が次々と発見されました。それら数多くの新元素を記すために、 ベルセリウス ⑧ は**頭文字のアルファベットによる元素記号の表記法**を考案しました。

[ボルタ電池による電気分解]

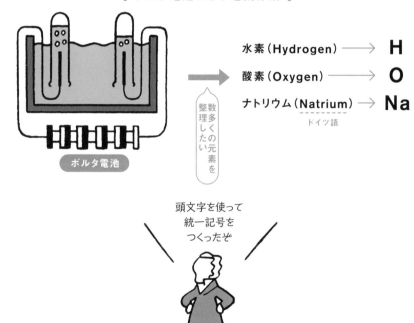

ベルセリウス以前は、ドルトンが各元素に独自の記号を用いていたが、普及しなかった。
そこでベルセリウスが頭文字を記号にするアイデアを考えた。

ベルセリウスはまた、物質を **有機物** 12 と **無機物** 13 に分けました。当時の段階では、**有機物とは生活機能を有するもの**、つまり動植物並びに動植物から得られる物質（紙や染料など）を指しました。**無機物とは生活機能のないもの**、つまり鉱物や水などを指しました。

[有 機 物 と 無 機 物]

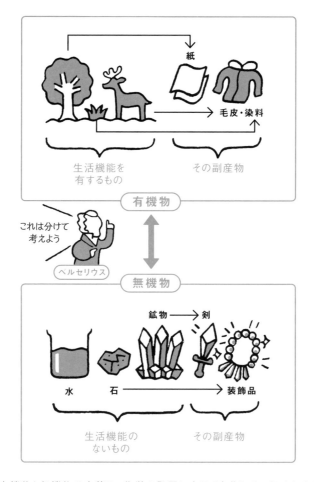

後に有機物と無機物の定義は、化学の発展に応じて変化していくことになる。

有機物は自然界に数多く存在します。その有機物を分析してみると、それらはどれも、酸素・水素・炭素・窒素などの、**ごく少数の元素からできている**ことが明らかになりました。それにより、多様な有機物の違いは、元素の種類の違いではなく、元素の「つながり方」の違いから生まれるということが分かりました。ここから化学の研究は、元素の種類だけではなく、**元素間の「つながり方」や「つながった形」**にも関心が向けられるようになります。

たった数種類の元素だけで多様な有機体ができていたのは衝撃だった。

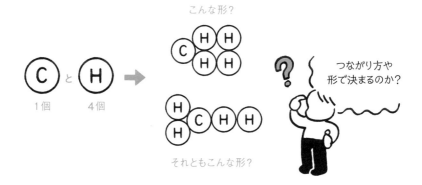

これにより、物質の性質は元素の種類だけでなく、
「つながり方」や「つながった形」にも関係することが分かった。

19世紀以降、様々な実験器具の進化から、化学反応の性質が少しずつ見えていきました。そこから、原子には**原子どうしをつなげる何か「手」のようなもの**が存在し、その「手」がつなぎ合うことで、様々な「つながり方」の化合物ができあがるのではないかと仮定されるようになりました。

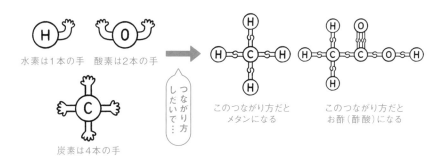

原子ごとに決まった数の手があるという発想は、その後の有機化学の発展をもたらした。

一方ほぼ同時代に、 ファラデー ⑨ がボルタ電池を用いて電気分解の実験をした際、**分解された物質の一部が電極に向かって移動する**ことを見出しました。この電極に向かう物質を、ファラデーはギリシア語の「行く」の意味を持つ「 イオン ⑭ 」と名付けました。

電気分解されてマイナスの電極に「行く」物質は「陽イオン」、
プラスの電極に「行く」物質は「陰イオン」と名付けられた。

❷ 「つながり」の形

19世紀も後半になり、ケクレはベンゼンという **有機化合物** ⑮ の「つながり方」が環状になっていることを突き止めました。これをきっかけに、有機化合物の「つながり方」には、**環状構造の骨組み**と、**鎖状構造の骨組み**があることが分かりました。

[ベンゼン分子とプロパン分子]

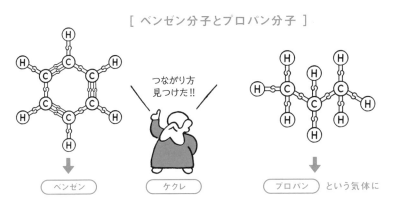

| ベンゼン | ケクレ | プロパン という気体に |

炭素の4本の手と、水素の1本の手が
環のようにつながっている。

同じく炭素の4本の手と、水素の1本の手が
鎖のようにつながっている。

さらにその骨組みには、各化合物に機能を与える小さな原子団が肉付けられていることが分かりました。この肉付けが、各化合物の性質を決めていたのです。その肉付けを、**役目(官)や機能を表す原子団(基)**として「 **官能基** ⑯ 」と呼びます。

[プロパンとプロパノール]

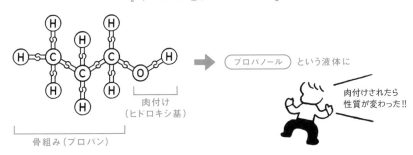

プロパノール という液体に

肉付け
(ヒドロキシ基)

骨組み(プロパン)

肉付けされたら
性質が変わった!!

同じく19世紀後半に メンデレーエフ ⑩ は、元素記号を原子量の順に並べてみると、**似た性質の元素が周期的に並んでいる**ことに気付きました。そしてその周期律に合わせて表を作りました。化学の教科書に必ずある、 周期表 ⑰ の最初です。初期の周期表は、周期の法則に合う元素のない位置を空白にしていました。しかし後に、この空白の位置に入る、周期の法則に合った元素が次々と発見されました。周期表は、**未発見元素の存在予測までも可能にするもの**だったのです。

[初 期 周 期 表]

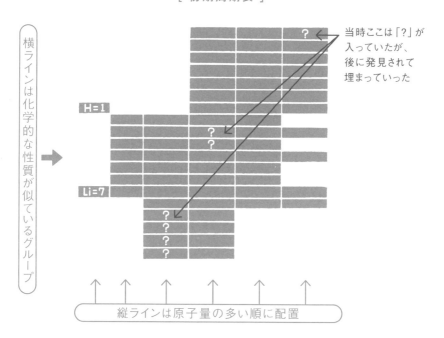

この周期表はすばらしい発明だったのですが、なぜそのような「周期」が存在するのかまでは分かりませんでした。これが電子の配置によって決まることを知るのは20世紀になってからです。

現代化学の理論
—化学の恩恵に囲まれた現代—

❶ 原子の正体

原子とはもともと、「これ以上分割することが不可能な物質」という意味であり、言葉通りに分割は不可能だと思われていました。しかし19世紀後半に **トムソン** ⑪ が、**原子の中にマイナスの 電荷 ⑱ を持つ粒子が存在する**ことを確認しました。しかもそれはなんと、計算上**水素原子の1000分の1ほどの質量**だったのです。この粒子は **電子** ⑲ と呼ばれ、化学の発展に多大な貢献をもたらします。

[トムソンの実験装置]

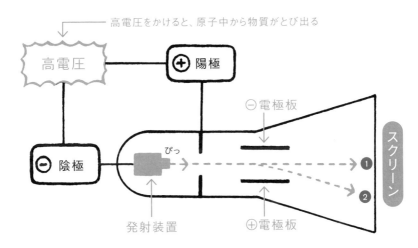

高電圧をかけると、原子中から物質がとび出る

高電圧

⊕ 陽極

⊖電極板

スクリーン

⊖ 陰極

ぴっ

❶

❷

発射装置

⊕電極板

発射装置からとび出た物質は…

❶ 電極板に電圧をかけないとまっすぐ進む

❷ 電極板に電圧をかけると⊕電極板に寄せられて曲がる
　＝⊖の電荷を持つ物質だと分かる

では電子は原子の中でどのように存在しているのか。20世紀初めにラザフォードやボーアなどによって、原子核の周りのいくつかの軌道を電子が回るモデル（→P.109）が考案されました。

[原子の構造]

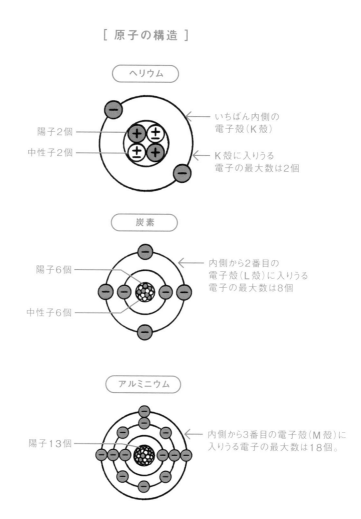

ヘリウム

陽子2個

中性子2個

いちばん内側の
電子殻（K殻）

K殻に入りうる
電子の最大数は2個

炭素

陽子6個

中性子6個

内側から2番目の
電子殻（L殻）に入りうる
電子の最大数は8個

アルミニウム

陽子13個

内側から3番目の電子殻（M殻）に
入りうる電子の最大数は18個。

このことによって、電極に向かって「行く」イオンとは何かが明らかになりました。マイナスの電極に向かう**陽イオンとは、電子が失われてプラスの電荷**(→P.58)**を帯びた原子**であり、プラスの電極に向かう**陰イオンとは、電子が追加されてマイナスの電荷を帯びた原子**のことだったのです。

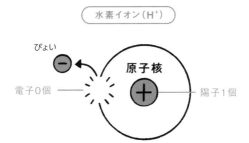

[イオンの構造]

水素イオン（H⁺）

ぴょい

原子核

電子0個　陽子1個

K殻の電子がとび出たため、プラスの電荷を持つことになった。

酸化物イオン（O²⁻）

ぴょい　ぴょい

電子10個
陽子8個

L殻の電子の空きスペースに電子が2個加わったため、
マイナスの電荷を持つことになった。

また、**陽子の数は変わらないのに中性子の数が異なる原子**が発見されます。これらは「 同位体 **20** 」と呼ばれるようになりますが、これにより同じ元素であっても何種類か存在することが分かり、改めて「 元素 **2** 」と「 原子 **1** 」の定義がなされました。

[同位体の仕組み]

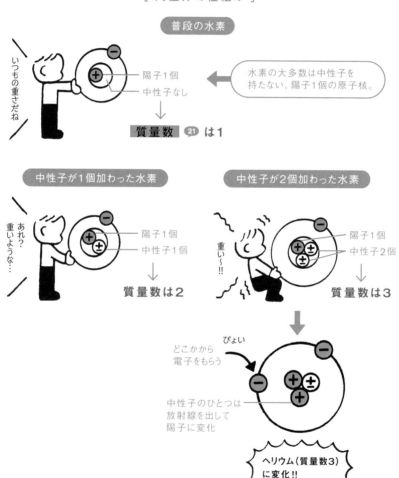

普段の水素

いつもの重さだね

陽子1個
中性子なし

水素の大多数は中性子を持たない、陽子1個の原子核。

↓

質量数 21 は1

中性子が1個加わった水素

あれ？
重いような…

陽子1個
中性子1個

↓

質量数は2

中性子が2個加わった水素

重い〜!!

陽子1個
中性子2個

↓

質量数は3

↓

どこかから
電子をもらう

ぴょい

中性子のひとつは
放射線を出して
陽子に変化

ヘリウム（質量数3）
に変化!!

② 「つながり方」の正体

電子の発見により、原子どうしの「つながり方」も見えてきました。現代化学によると、原子の「つながり方」にはおおまかに、**「共有結合」「イオン結合」「金属結合」**の三つがあります。この三つの「つながり方」はここでおさえておきましょう。

[様々な「つながり方」]

共有結合

原子がくっついて分子になるつながり方

原子核

二つの電子雲が重なって、電子が両者を自由に飛び回り共有できる。
※電子雲とは、原子内に電子がどのように存在しているかを表したモデルのこと。

イオン結合

イオンの⊕⊖でくっつくつながり方

ナトリウム原子　　　　　塩素原子

電子が移動すると…

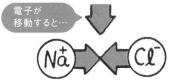

Na^+とCl^-が引き寄せ合い、
$NaCl$となる。

金属結合

すべての電子殻が重なり合って、
電子が自由に行き来できるつながり方

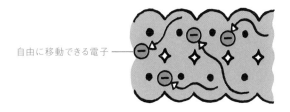

自由に移動できる電子

この結合の仕方のおかげで、
金属は曲げのばしができる。

そして、周期表に合わせて似たような性質の元素がなぜ現れるのかも、**電子の受け渡しで説明できる**ようになりました。

周期表とイオン

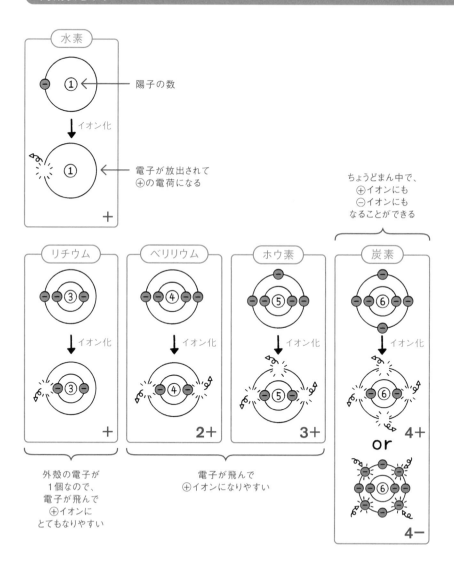

水素

陽子の数

イオン化

電子が放出されて
⊕の電荷になる

\+

ちょうどまん中で、
⊕イオンにも
⊖イオンにも
なることができる

リチウム

ベリリウム

ホウ素

炭素

イオン化

イオン化

イオン化

イオン化

\+

2+

3+

4+

or

4−

外殻の電子が
1個なので、
電子が飛んで
⊕イオンに
とてもなりやすい

電子が飛んで
⊕イオンになりやすい

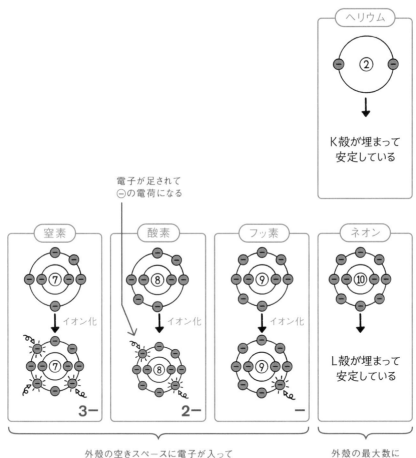

ヘリウム

②

↓

K殻が埋まって
安定している

電子が足されて
○の電荷になる

窒素

⑦

↓ イオン化

⑦

3−

酸素

⑧

↓ イオン化

⑧

2−

フッ素

⑨

↓ イオン化

⑨

−

ネオン

⑩

↓

L殻が埋まって
安定している

外殻の空きスペースに電子が入って
○イオンになりやすい

外殻の最大数に
電子がすべて埋まり
安定しているので
イオンになりにくい

一方で、極小サイズの原子や分子に対して、**きちんと統一した重さと量で計れるように基準が設けられました。**それが、6.02214076×10²³(**アボガドロ定数** 22)個を1単位とする「**モル** 23」(ドイツ語の分子が語源)です。もともとこれは、12gの炭素の中に、原子がどれだけあるかを基準にしたものです。炭素の12gを基準にすると、最軽量である水素の1モル個ぶんは、ほぼ1gとなりちょうどよくなります。ちなみに2019年にこの炭素量を基準とした定義は改定され、純粋に「6.02214076×10²³」という値になりました。

[モルの発明]

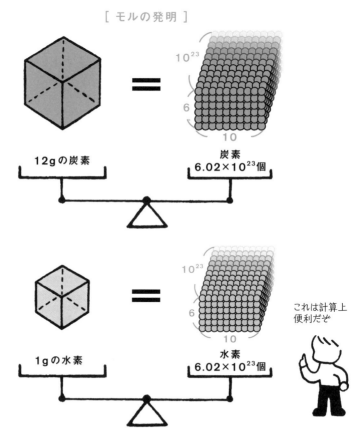

12gの炭素

炭素
6.02×10²³個

1gの水素

水素
6.02×10²³個

これは計算上
便利だぞ

この「モル」の概念の導入により、
ラボアジェ以来の定量的観察がより発展することになる。

③ 現代化学の発展

以上のような過程を経て、化学は発展していったのですが、**現代化学は環境問題とも密接なつながりを持ちます。**

第一次世界大戦は化学戦、第二次世界大戦は物理戦ともいわれています（→P.25）。また、20世紀は効率的な農作物の大量生産のために、化学的な農薬が大量に使われました。それに対して **レイチェル・カーソン** ⑫ は、1962年に **『沈黙の春』** ㉔ という著を通して、DDTのような**化学物質乱用の危険性と環境破壊の告発を行いました。**

[DDT が生態系に及ぼす影響]

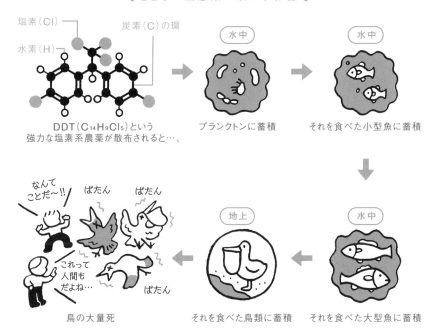

塩素（Cl）　炭素（C）の環
水素（H）

DDT（C₁₄H₉Cl₅）という
強力な塩素系農薬が散布されると…、

水中　プランクトンに蓄積

水中　それを食べた小型魚に蓄積

なんてことだ〜!!　ばたん　ばたん
これって人間もだよね…　ばたん

鳥の大量死

地上　それを食べた鳥類に蓄積

水中　それを食べた大型魚に蓄積

DDTは分解されにくく、しかも体外へ排出されにくいため、
食物連鎖の過程で生物の体内に蓄積され凝縮していく。
すると生態系上位の生物の体内DDTが高濃度になり、大量に死滅していく。

その一方で20世紀には、「ポリマー」と呼ばれる鎖状の長い分子が次々と人工的につくられていきました。ポリエチレンやポリプロピレンなどのプラスチックや、ナイロンやポリエステルなどの繊維がそうです。この「ポリマー」についての研究は「 高分子化学 ㉕ 」と呼ばれ、**私たちの生活の利便さを飛躍的に向上させました。**しかし一方で、**地球環境への影響の大きさ**が指摘され、現代でも大きな問題となっています。

[ポリエチレンが生態系に及ぼす影響]

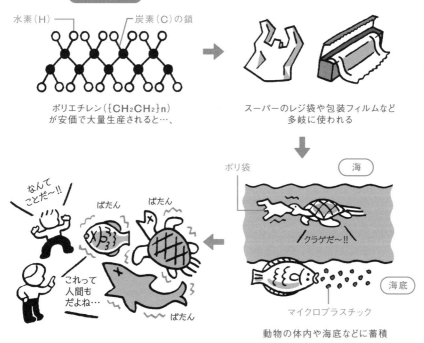

高分子化合物も分解されず体内や環境に蓄積されるため、
生態系や人体への影響が懸念される。

現代の化学は、新たな元素が合成されたり、新たな化合物が生成されたり、そして新たな技術が実用化されたりするなど、めまぐるしく発展しています。**化学は私たちの実生活の豊かさに直接つながっている**といえるでしょう。だからこそ、**私たち自身の生活をきちんとすることが、環境保全に直接つながる**といえるかもしれません。

化学による生活の進歩と人々の環境意識の向上はセットであらねばならない。

化学の章は以上です。本章をきっかけに、化学への興味と、環境保全への意識が高まってくれれば幸いです。それでは次章が最終章です。科学の歴史ではなく、地球の歴史を見ていきましょう。

KEYWORD & KEYPERSON
重要用語と重要人物を掘り下げる

万物の根源は何か、私たちの世界は何でできているのか。古代ギリシアからのこの問いかけは、原子と分子の概念にたどり着きました。そして電気分解によって多くの元素が発見され、周期表という形でまとめられました。また、電子の発見により原子の構造がモデル化されて、イオンのメカニズムや原子の構造も明らかになりました。それらの研究をもとに作られた化学製品は私たちの生活を豊かにした一方で、有機化合物の製品が思わぬ形で環境や生態系に害を及ぼすことも、明らかになってきています。

※これまでのChapterですでに登場したワードは、簡単な意味のみ再掲しています。

7-1
万物の根源は何か
四元素説から分子説まで

KEYWORD

❶ 原子 （▣Chapter4 P.109）

atom

物質の基本的な構成単位となる物質。

➡元は分割不可能で不変な物質の最小単位と考えられていたが、電子など素粒子が原子内で発見されたことによって、最小単位とはいえなくなった。元素とは異なり、「原子とは物質」と考えるとよい。

❷ 元素

element

物質の基本的な構成要素。

➡元は物質を構成する最も基本的で最小の要素と考えられていたが、同位体（→P.238）の発見によって同じ原子が何種類もあることが分かり、現在では原子番号で区分された原子の種類を表す概念を総称したものとなった。原子とは異なり、「元素とは概念」と考えるとよい。

❸ 錬金術 （▣Chapter1 P.22）

alchemy

金や万能薬を人工的に生み出そうとする技術。

➡アリストテレスの唱えた四元素（火・空気・水・土）と四性質（熱・冷・湿・乾）の影響を受けて発展した。ヘレニズム時代の学者たちは、この組み合わせによって万物を生成できると考えた。また古代中国では長命薬の発見を目指して研究がなされたとされる（錬丹術）。

❹ 酸性

acidity

水素イオン（H^+）が作用して、すっぱい味をつくる性質。

➡水溶液の中で水素イオン（H^+）の濃度が水より高く、常温の水溶液における水素イオン濃度指数pHは、7より小さくなる。

❺ アルカリ性／塩基性

alkalinity / basicity

水酸化物イオン（OH^-）が作用して、酸と中和し塩をつくる性質。

➡水溶液の中で水酸化物イオン（OH^-）を生じさせ、常温の水溶液における水素イオン濃度指数pHは、7より大きくなる。

❻ 分析
analysis

物事を要素や成分に分けて、その組成や割合などを明らかにすること。

➡化学の領域で分析の語を提唱したのはボイルであり、分析を学問的に体系化したのはラボアジェである。

❼ 定量的
quantitative

数値や数量で表せるさま。

➡対義語の定性的とは、数値では表せないさまのことをいう。

❽ ボイル=シャルルの法則
Boyle-Charles' law

気体の体積は圧力に反比例し、絶対温度に比例するという法則。

➡一定の温度下では気体の体積は圧力に反比例するという法則は、1660年にボイルが導いた。一方、一定の圧力下では気体の体積は絶対温度に比例するという法則は、1787年にシャルルが導いた。後に二つが合わさり、ボイル=シャルルの法則となった。

❾ 気体反応法則
law of gaseous reaction

化学反応で互いに反応した気体の体積の間には、等温・等圧においてならば簡単な整数の比が成り立つという法則。

➡1808年にゲイ・リュサックが発見した。ただ、この法則は「原子は分割されない」とするドルトンの原子論の考え方と矛盾する。この矛盾が、アボガドロが分子説を導くきっかけとなった。

❿ 分子説
molecular theory

気体の最小単位として、「原子」ではなく、いくつかの原子が結合してできた「分子」を考える説。

➡「分子」(molecule)は、ラテン語で「カタマリ」を表すmolesと、同じくラテン語で「小さな」という観念を表すculaで構成された造語。

KEYPERSON

① デモクリトス

Dēmokritos（前460ごろ～前370ごろ）

古代ギリシアの哲学者。

➡師レウキッポスを継いで原子論を体系化した。無数のアトム（分割できないもの）が運動する無限の空虚の存在を唱え、アトムの形や大きさと配列が異なることにより異質多様な現象が起こるとした。多方面にわたる数多くの著作を残したが、現存するのはわずかな断片のみである。

② アリストテレス　（▶Chapter1・5）

Aristotelēs（前384～前322）

古代ギリシア最大の哲学者の一人。

➡アリストテレスは、地上の物質は「火」「空気」「水」「土」という四つの基本元素から成り、また宇宙は第五の元素エーテルで満たされているとして、デモクリトスの原子論には反対していた。

③ ボイル

Robert Boyle（1627～1691）

イギリスの物理学者・化学者。

➡近代化学の祖。空気ポンプを製作して真空下で様々な実験を行い、その過程で「ボイルの法則」を発見した。また、アリストテレスの四元素説を批判し、代わりに機械論的・粒子論的哲学を支持した。

④ ラボアジェ　（▶Chapter1）

Antoine-Laurent Lavoisier（1743～1794）

フランスの化学者。

➡近代化学の父。数値や数量をきちんと示して観察する定量的観察を始め、「質量保存の法則」や燃焼理論を導いた。また、水の分解・合成実験から、水が元素であることを否定し、分割できない分析の到達点を元素と呼ぶことを唱え、33もの元素を提唱した。酸の素になると考えた酸素も彼の命名。フランス革命の際に処刑された。

⑤ ドルトン

John Dalton（1766～1844）

イギリスの化学者・物理学者。

➡「ドルトンの分圧法則」や「倍数比例の法則」を発見した。また、哲学的な傾向の強かった原子論を科学の領域にまで高め、近代原子論の基礎を築いた。ちなみに、ドルトンは自分が色覚障害であったことから、その研究を行った人物としても知られている。晩年の研究対象はオーロラだったそうである。

⑥ ゲイ・リュサック

Joseph Louis Gay-Lussac（1778〜1850）

フランスの化学者・物理学者。

➡気体の体積が絶対温度に比例する法則を、シャルルよりも数値化した形で導いた。また、水が生成される際に、酸素と水素の体積比がほぼ1対2の割合で結合することを確認した。さらには他の気体どうしの反応においても体積比が簡単な整数比で表せることを導き、これを「気体反応法則」として一般化した。

⑦ アボガドロ

Amedeo Avogadro（1776〜1856）

イタリアの物理学者・化学者。

➡すべての気体は同温・同圧・同体積のもとでは同数の分子を含むという「アボガドロの法則」によって、ゲイ・リュサックの「気体反応法則」とドルトンの原子論との矛盾を解決した。しかし当初は認められず、50年後にようやく認められた。

7-2
現代化学に続く道
元素の「つながり」の謎を追う

KEYWORD

⑪ 電気分解

electrolysis

電解質水溶液に電流を通して化学反応を起こさせ、物質を分解すること。

➡電気分解による物質の量と電気量の関係については、ファラデーの「電気分解の法則」が存在する。電気分解で極に析出する物質の量は、流れた電気量に比例し、1g当量の物質を析出するのに必要な電気量は、物質の種類に関係なく一定（ファラデー定数）となる。

⑫ 有機物

organic matter

炭素を含む化合物。

➡日本語の「有機」は「生活機能を有すること」を表す言葉。動植物などの生命体を構成している。ちなみに英語のorganicの語源は、内臓器官を表すorganon。

⑬ 無機物

inorganic matter

水・空気・鉱物などの、有機物以外のすべ
ての化合物。

➡無機物は、基本的には炭素を含まない
化合物のことを指すが、炭酸塩のように、
炭素を含むものの無機物に分類される化
合物の例もいくつか存在する。

⑭ イオン

ion

電荷を帯びた原子並びに原子団。

➡電子が欠損してプラスの電荷を帯びた
ものを陽イオンといい、電子が足されてマ
イナスの電荷を帯びたものを陰イオンと
いう。

⑮ 有機化合物

organic compound

炭素を含む化合物の総称。

➡ただし、二酸化炭素などの炭素酸化物
や、金属の炭酸塩などの少数の簡単な化
合物は除く。骨格構造による分類による
と、環式構造を含む「環式化合物」と鎖式
構造を含まない「鎖式化合物」とに大別さ
れる。「環式化合物」はさらに、環に炭素原
子以外の原子を含む「複素環式化合物」と、
炭素原子以外の原子を含まない「炭素環
式化合物」とに分類される。

⑯ 官能基

functional group

有機化合物を特徴づける原子団。

➡官能基は有機化合物を強く特徴づける
ため、有機化合物は持っている官能基に
よってグループ化できる。たとえば、カル
ボキシル基($-COOH$)という官能基を持
つ有機化合物は「カルボン酸」、アルデヒ
ド基($-CHO$)を持つ有機化合物は「アル
デヒド」、水酸基($-OH$)を持つ有機化合物
は「アルコール」と呼ばれる。

⑰ 周期表

periodic table

周期律に基づいて元素を配列した表。

➡1869年に、メンデレーエフが当時知ら
れていた63元素を表にまとめた。その後、
らせん型、立体型、長周期型など、多数の
周期表が考案された。

KEYPERSON

⑧ ベルセリウス

Jöns Jacob Berzelius(1779～1848)
スウェーデンの化学者。
➡ボルタ電池を用いた電気分解の実験を重ね、すべての化合物は正と負に分けられるという電気化学的二元論の先駆けとなった。また、ドルトンの原子論をもとに、数多くの元素の原子量を定め、元素の頭文字で元素と原子量を示す新たな元素記号を考案した。

⑨ ファラデー　（▶Chapter2）

Michael Faraday(1791～1867)
イギリスの化学者・物理学者。
➡物理学においては「電磁誘導の法則」を導いたが、化学においては、二酸化炭素・硫化水素・塩素などの液化に成功し、ベンゼン（炭素原子6個が正六角形の環をなす代表的な芳香族炭化水素）を発見した。また、イオンを発見し、「電気分解の法則」を導いた。

⑩ メンデレーエフ

Dmitriy Ivanovich Mendeleev(1834～1907)
ロシアの化学者。
➡メンデレーエフは元素を原子量の順に並べてみると、似たような性質の元素が周期的に現れるという法則（周期律）を発見し、これに基づいて元素をまとめた表を作った。そのため、この表は「周期表」と名付けられた。

7-3
現代化学の理論
化学の恩恵に囲まれた現代

KEYWORD

⓲ 電荷　（❒Chapter2 P.58）
electric charge

物体が帯びている電気・電気の量。

➡陽子はプラスの電荷を帯び、電子はマイナスの電荷を帯びる。なお、電子はトムソンの実験によって発見されたが、その実験において、発射された電子がプラスの電極側に寄せられて曲がったことから、電子がマイナスの電荷を帯びていることが明らかになった。

⓳ 電子　（❒Chapter2・4／P.65・109）
electron

原子の中で、原子核の周りに分布する素粒子。負の電荷を持つ。

➡原子核を回る電子の軌道を電子殻というが、原子核に近いものから順に、K殻、L殻、M殻、…と呼ばれる。最も原子核に近いものをあえて「K」にしたのは、後にさらに内側に電子殻が見つかる可能性があったからとされる。ひとつの電子殻に入る電子の最大数は、2、8、18、…というように、$2n^2$個となる。

⓴ 同位体
isotope

原子核の中の、中性子の数が異なる原子。

➡中性子の数は違っていても、陽子の数は変わらないので、同位体は同じ周期表の位置に入る。そのことから、ギリシア語のisos（同じ）とtopos（場所）を合わせてisotopeと名付けられた。中性子の数によって質量数が異なる。

㉑ 質量数
mass number

原子核を構成する陽子数と中性子数の合計。

➡質量数の異なる同位体を区別する際は、原子記号の左肩に^{16}O、^{17}Oのように質量数を添えて記入する。

㉒ アボガドロ定数
Avogadro constant

1モルの中にある粒子の数で、その詳細な値は$6.02214076 \times 10^{23}$。

➡分子説を唱えたアボガドロの名にちなんで名付けられた。かつては「アボガドロ数」という名称だったが、どんな物質にも通じる普遍的な数（物理定数）であることが分かり、1969年より「アボガドロ定数」に改称された。

❷❸ モル
mole

原子や分子の量を表す単位。1モルは
$6.02214076×10^{23}$個。

➡もともとは、12 gの炭素の中にある原
子量という定義だったが、2019年にアボ
ガドロ定数を用いた新たな定義が適用さ
れて、純粋に「$6.02214076×10^{23}$」とい
う値になった。

❷❹ 『沈黙の春』
Silent Spring

アメリカの海洋生物学者レイチェル・カー
ソンによる著書。1962年刊行。

➡有機化合物の農薬が自然の均衡を破壊
していることを警告し、ベストセラーに
なった。以降のエコロジー活動の発展に
大きく寄与した。

❷❺ 高分子化学
polymer chemistry

分子量が1万程度以上の巨大な分子につ
いて研究する学問。

➡高分子化合物は分子が巨大なために気
体としては存在できず、常温では固体で、
加熱すると粘度の高い液体として存在す
る。合成繊維やプラスチックなど、現代生
活に欠かせない素材を日進月歩で生み出
している。

KEYPERSON

⑪ トムソン
Joseph John Thomson（1856〜1940）

イギリスの物理学者。

➡真空放電の研究から1897年に電子を
発見し、それが原子の重要な構成要素のひ
とつであることを明らかにした。そしてそ
れに基づいた原子モデルを提唱して、後の
ラザフォードの原子モデルなどに影響を
与えた。1906年ノーベル物理学賞受賞。

⑫ レイチェル・カーソン
Rachel Louise Carson（1907〜1964）

アメリカの海洋生物学者・作家。

➡小さいときから作家を目指し、大学では
文学を専攻した。また生物学にも興味を
持ち、大学院では海洋生物学などを研究
した。農薬の危険性を警告した著作『沈黙
の春』は世界に大きな衝撃を与え、自然保
護や環境保全活動の先駆けとなった。

8

Chapter.

The Most Intelligible Guide
of General Knowledge in the World

地球史

History of earth

地球と生命と人類の誕生史

この章では、太陽系の誕生から人類の誕生まで、地球の歴史を最後に学んでいきます。地学や生物の知識だけでなく、今までの本書全体の内容を駆使して説明していきます。

ENRICH YOUR EDUCATION
教養を豊かにする

🔍 登場する主なキーワード

☐超新星爆発	☐地磁気	☐マントル	☐はやぶさ２
☐大陸移動説	☐自然発生説	☐RNAワールド	☐光合成
☐全球凍結	☐ミトコンドリア	☐『種の起源』	☐自然選択説
☐血縁淘汰	☐ウイルス進化説	☐ミトコンドリア・イブ	

地球誕生の歴史
―太陽系と地球の壮大な物語―

まずは地球誕生から大陸が移動するまでの過程を追っていきましょう。

① 太陽と地球と月の誕生

今から約46億年前、**超新星爆発** ❶ をきっかけにして、宇宙のガスやチリが集まり**密度が高まると、重力が大きくなって**（→P.45、94）収縮と回転が始まります。太陽の誕生です。太陽は周りのガスやチリをどんどんと巻き込みながら回転を速めていき、巻き込まれたチリやガスは衝突と合体をくり返して、やがて惑星（→P.140）を形成していきます。

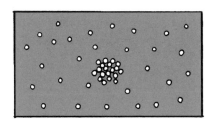

ガスやチリの拡散にかたよりが生まれると、重力の大きい部分と小さい部分ができる。

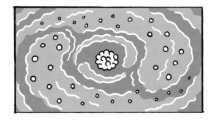

重力の大きい場ができると、周りを引き寄せながら回転が始まる。

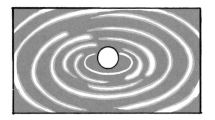

ガスやチリが集まるごとにさらに重力と回転は強くなり、太陽系の原型ができる。

太陽の内部では **核融合** ❷ が始まり、高温のプラズマである太陽風が発生します。その衝撃により、太陽に近い惑星のガスやチリは吹き飛ばされて、太陽に近い**水星・金星・地球・火星は岩石が主成分の惑星**になりました。一方、飛ばされたガスやチリは太陽から遠い惑星の引力（→P.45）に引き寄せられて、**木星・土星はガスが主成分の惑星**になりました。

[太陽内の核融合]

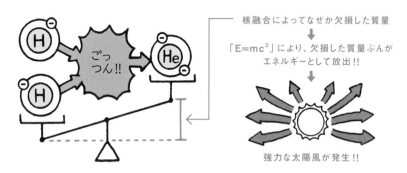

水素どうしが融合してヘリウムになるとき、ほんの少しだけ質量が欠損する。
質量（m）は光速度の2乗（c^2）をかけたエネルギー（E）を生むので、
ほんの少しでも膨大なエネルギーになる（→P.92）。

[惑星の形成]

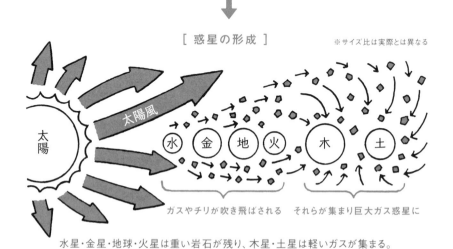

※サイズ比は実際とは異なる

水星・金星・地球・火星は重い岩石が残り、木星・土星は軽いガスが集まる。

原始地球は高熱のマグマの海です。そのため、鉄やニッケルなどの重い成分は沈んで中心部にいき、岩石などの軽い成分は表面に浮かび上がっていきます。こうして地球の形ができあがっていきました。

[原始地球の形成]

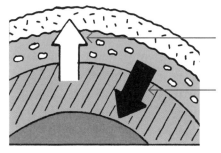

重力と浮力の影響で、岩石などの軽い成分は浮かんで表層に

鉄やニッケルなどの重い成分は沈んで中心部に

月は衛星でありながら異常に大きく、しかも主成分が地球とほとんどいっしょです。この不思議な月の誕生の謎を解く有力な仮説が、**ジャイアント・インパクト説** ❸ です。地球が完成しかけたころ、**地球に巨大な惑星「テイア」が衝突します**。その衝撃で飛び散った**両天体の欠片が集まり、月になった**のだそうです。また、この衝突の衝撃により、地球の地軸は約23.4°に傾いたと考えられています。

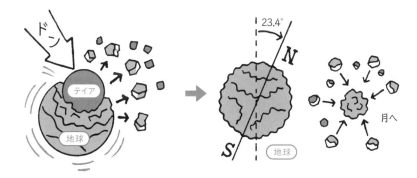

現在の火星ほどの大きさもある「テイア」（ギリシア神話における月の女神の母の名より）が斜めに衝突。

地球は地軸が傾き、飛び散った質量の大きな欠片は重力により細かい欠片を集め月を形成していく。

2 海と大陸の誕生

地球の内側では、層構造ができあがっていきました。中心となる核は超高温の鉄やニッケルでできていますが、中心部は高圧のために固体になっています。**核の上部は液体であり、その流動で電流が発生して 地磁気 ④ が生まれています。**核の周りには マントル ⑤ 層があり、固体でありながら熱力学(→P.53)の働きにより対流します。その対流するマントルの上に、固まった岩盤でできた地殻が浮かんでいます。

[地球の層構造]

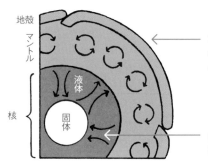

地殻はマントルの上に浮かんでいる状態のため、マントル対流に合わせ移動する（プレートテクトニクス）

鉄やニッケルの流動により発電されて、地磁気が発生する

[地磁気]

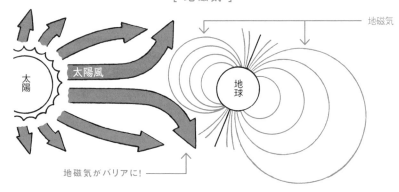

核の上部で発電された電流によって地磁気が地球上を覆うようになると、
太陽風などの宇宙線を緩和する強力なバリアの役割を果たすようになる。
そのおかげで、地球に生命の生息できる環境が整ったといえる。

地球の水はいつ、どのように生まれたのでしょうか。ジャイアント・インパクト後に地球が冷えて固まってきたころに、**小惑星の衝突によってもたらされた**と考えられています。小惑星の衝突によってもたらされた大量の水分は水蒸気として大気中にありましたが、地殻ができることで冷えて雨となり、1000年にもわたって降り続けました。こうして約40億年前に、海が生まれました。

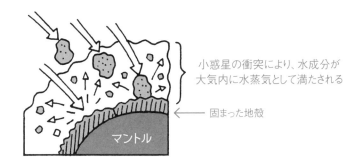

小惑星の衝突により、水成分が
大気内に水蒸気として満たされる

← 固まった地殻

マントル

小惑星にある水の存在は、 はやぶさ 6 の持ち帰った小惑星イトカワ、
はやぶさ2 6 の持ち帰った小惑星リュウグウの試料からも観測されている。

約30億年前に、地球で初めて大陸が誕生します。大陸はマントル対流の流れにのって、発生と合体と分裂をくり返します。現在ある六大陸は、20世紀に ウェゲナー ① の唱えた 大陸移動説 7 通りに、約2億5000万年前の巨大大陸であるパンゲア大陸が分裂してできあがったとされています。

[パンゲア大陸]

ユーラシア
北アメリカ
南アメリカ
アフリカ
インド
南極

パズルのようにぴったりだ

ウェゲナー

20世紀初頭、ウェゲナーはすべての大陸はもともとひとつであり、いつからかいくつかの大陸に分かれて移動したと考えた。
やがてこの説は、マントル対流により地殻が移動する「 プレートテクトニクス 8 理論」により強化される。

生命誕生の歴史
―生命が生まれ紡ぐ小さな物語―

次に、地球上に生命が誕生する歴史を追いかけていきましょう。

① 生命はどこからやってきたか

紀元前にアリストテレスは、ミツバチやホタルは草の露（つゆ）から、ウナギは水底の泥から生まれると考えました。「生物は親からだけではなく、**自然からも生まれ出てくる**」という考え方を「 自然発生説 ⑨ 」といいます。この説は、19世紀までずっと信じられていましたが、 パスツール ② の実験により否定されました。**あらゆる生物は親からのみ生まれる**ことが常識となったのです。

アリストテレスの時代より2000年近く、生物は自然からも生まれ出ているようにしか感じられなかった。

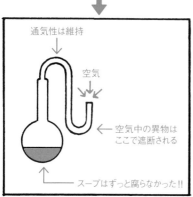

スープを腐らせる原因となる微生物は、スープから自然発生しないことを証明するために、パスツールは空気以外の異物が入らないフラスコを作って実験した。数日後、フラスコに入れなかったスープは腐りはじめ、フラスコのスープは腐らなかった。
生物が自然発生しないことの証明は多くの科学者が試みたが、より完全な証明に成功したのが、このパスツールのフラスコ実験だった。

では、最初の生命はいつ、どうやって生まれたのでしょう。生命は有機物で構成されますが、原始地球は無機物(→P.230)だらけです。この無機物からやがて有機物が生まれ、そして有機物から生物が生まれたと考えるのが、現在主流の「化学進化説 ⑩」です。

[化学進化説]

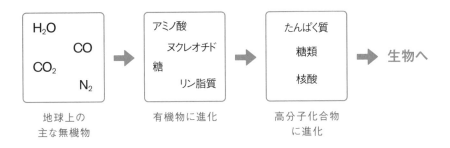

| 地球上の 主な無機物 | 有機物に進化 | 高分子化合物 に進化 | 生物へ |

生命は、化石の調査により、地球が誕生してから8億年の間に**真正細菌 ⑪**にまで進化したと考えられています。しかし、無機物だらけの原始地球から、生命が生まれて真正細菌にまで進化するのに、**8億年という時間はあまりにも短い**そうです。そこで現在有力視されている仮説が「パンスペルミア説 ⑫」です。

[パンスペルミア説]

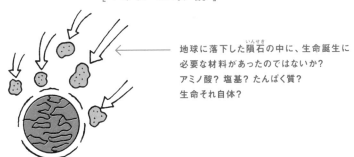

地球に落下した隕石の中に、生命誕生に
必要な材料があったのではないか?
アミノ酸? 塩基? たんぱく質?
生命それ自体?

生命誕生に必要な材料が宇宙からもたらされたと考えると、
生命が無機物から進化するための時間が短縮されるので、
「8億年」という短い時間をうまく説明できる。

生命の源となるたんぱく質は、DNAの持つ情報を読み取ったRNAが、必要なアミノ酸を集めることでつくられます。パンスペルミア説では、このアミノ酸、並びにDNAの材料である塩基が、隕石の衝突によって地球にやってきたのではないかと仮定されています。

[DNAのメカニズム]

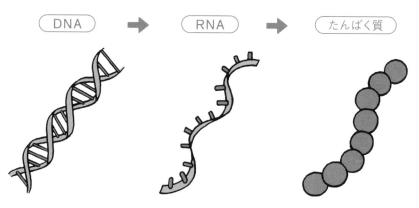

| DNA | → | RNA | → | たんぱく質 |

4種の塩基が二重のらせんで組み合わさることで、頑丈に遺伝情報を守ることができる

DNAの遺伝情報を読み取り、その設計図通りにアミノ酸を集めてたんぱく質をつくる

遺伝情報通りの生命のカタチに!!

現在の生命の基本はDNA（ **DNAワールド** 13 ）だが、**原始生命世界においてはRNAが遺伝情報の保持などの役割を担っていたのではないか**（ **RNAワールド** 14 ）という考え方が主流になりつつある。

② 生命はどうやって生き延びたか

現時点でしっかりとした化石として発見されている最古の生命は、約37億年前の シアノバクテリア **15** ですが、最古の生命は約39億年前に存在していたのではないかと想定されています。その正体は、**深海の熱水噴出孔で生息する古細菌の一種**とされています。高熱でも生息でき、酸素を嫌う「嫌気性細菌」です。彼ら原初の生命にとって、**酸素は猛毒**だったのです。

[最古の生命]

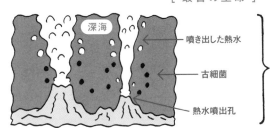

光も届かない高圧の深海で、しかも超高熱の世界で生息する生命が存在した

ここは原始的環境にかなり近く、しかも無機物から有機物が生まれる条件もそろっているため、生命誕生の場はこのような状況だったと推測されている。

シアノバクテリアは、太陽光と二酸化炭素と水をもとにして、エネルギー源の炭水化物をつくり出す 光合成 **16** を行います。**酸素は実は、光合成という化学反応の副産物として吐き出されるものにすぎません**。酸素は他の物質と反応しやすい性質のため、DNAと反応するとそれを破壊してしまいます。大量のシアノバクテリアによる**光合成は地球上に大量の酸素を生み、原初の生命を絶滅の危機へと追い込みました**。

シアノバクテリアの大量発生は大気中の二酸化炭素を激減させて寒冷化を引き起こし、最初の 全球凍結 **17** をもたらしたとも考えられている。

そのようななかで、**酸素を使ってエネルギーをつくる「好気性細菌」**が現れます。あるとき、**この好気性細菌は、嫌気性細菌の体内に取り込まれました**。これによって、嫌気性細菌が吸い込んだ酸素を、体内にいる好気性細菌がエネルギーに変えてくれました。こうして嫌気性生物は、酸素あふれるこの世界で生き続けることが可能になったのです。これを「細胞内共生説 **18** 」といいます。

[細胞内共生説]

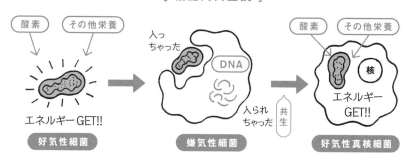

好気性細菌を取り込んだこの嫌気性細菌が長い時間をかけて進化をくり返し、現在地球上で存在する私たち真核生物のほぼすべてになりました。だから私たち人間や動物たちは、ひとつひとつの細胞内で**太古の好気性細菌と共生して、酸素あふれるこの世界で暮らしていける**のです。この細胞内で共生する元好気性細菌を、「ミトコンドリア **19** 」といいます。

地球上のほとんどの真核生物はミトコンドリアを細胞内に持ち続けたまま進化を重ねていった。

細胞内共生のように、過酷な世界では、生物単体で生き延びるよりも、たくさんの生物が寄り添い助け合って生きるほうが生存の可能性が高まります。さらにいえば、**分裂した単細胞生物が、分裂した後もくっつき合っていればカラダが大きくなり、さらに生存の可能性が高まります**。こうして単細胞生物は約10億年前に、多細胞生物に進化したのだと考えられます。

| 細胞内で共存することで、生存可能性が高まる。 | 多くの細胞が寄り添うことで、生存可能性が高まる。 | 大きな多細胞生物になることで、さらに生存可能性が高まる。 |

生物が多細胞になると、今度は**各細胞で役割を分担したほうが、さらに様々な環境で生き延びる可能性が高まります**。こうして、各細胞のかたまりごとに、栄養を摂取する役割などの器官ができあがっていきました。そして生殖機能が独立した器官になり、さらに**オスとメスに分化したことで、子は親と違う 遺伝子 20 の組み合わせを持つことができるようになりました**。ここから10億年かけて、生物は多様に、様々な形で進化していくのです。

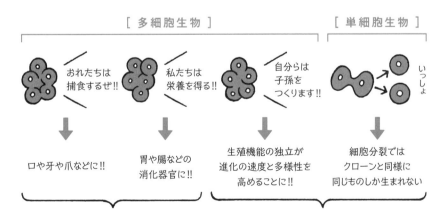

8-3 生物の進化
—進化の謎に挑む壮大な物語—

1859年に ダーウィン ③ が『種の起源』 ㉑ を発表してから、150年以上が経過しています。しかし人類は、生命の進化の謎をいまだに解き明かしてはいません。ここでは、生命の進化について、考えていきましょう。

① 進化論誕生の背景

18世紀後半の産業革命により、鉄や石炭を得るために採掘がさかんになり、地質学が発展します。そこで発掘される化石が、地層の年代を測るのに便利であったため、多くの化石が収集・研究されます。現代では、放射性同位体 ㉒ の発見によって、かなり具体的な年代測定が可能になりました。

三葉虫やアンモナイトなど、とある地層（時代）に集中して、しかも広域で発掘される標準化石を目安に、地質年代や当時の生息環境などが推定されていた。

ある種の同位体は放射性物質を出すが、その量を測定して、化石などの年代を測ることができる。

一方で19世紀は、産業資本主義の発達した時代です。**資本主義はある意味、弱肉強食の冷たい世界で、貧富の差が増大する時代**でした。その中で経済学者の マルサス ④ は『人口論』を発表し、貧困は社会システムが原因ではなく、人口増加による避けようのないものであるとし、やがて**飢餓と戦争によって過剰人口が自然に抑制される**と唱えました。ダーウィンはこのマルサスの影響を受けて、自然選択と適者生存の「 自然選択説 ㉓ 」を考えました。

[マルサスの『人口論』]

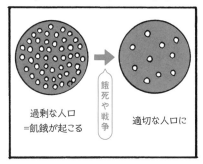

[ダーウィンの自然選択説]

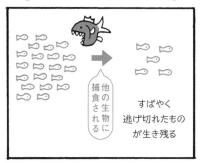

ダーウィンのいう「進化」はあくまでも「変化・変異」であって、「進歩」ではありません。しかしダーウィンの思想は後に曲解され、「 社会ダーウィニズム ㉔ 」として社会科学に適用されて、**弱肉強食の自由主義経済や、植民地支配の帝国主義を正当化する**のに利用されました。

[社会ダーウィニズム]

19世紀末から20世紀初頭にかけて、資本主義の利潤追求や特定人種の植民地支配、さらにはナチズムの人種理論にも社会ダーウィニズムは利用された。

② ダーウィンの進化論と最新の進化論

ダーウィンの進化論によると、「**自然は飛躍しない**」とされ、キリンでたとえるなら、高い枝の葉を食べるのに有利な首は、突然ではなく世代交代のなかで少しずつ伸びていったと考えます。しかし、首が長くなる前のキリンと首の長くなったキリンの化石はあっても、その中間の化石は見つかっていません。現代では、**生物は短期間で急激に進化し、その後は長い間進化しない**という「 断続平衡説 ㉕ 」も唱えられています。

[ダーウィンの考え]

だんだんと。

[断続平衡説]

突然…?

また、ダーウィン進化論では、「**突然変異はランダムな変異である**」とされ、偶然の変異の積み重ねにより進化が起こると考えます。しかしこれは、確率的にいえば、箱の中に時計の部品を入れてゆすっただけで時計が完成する確率に等しいそうです。現代では、**進化にはある一定の方向性が存在する**という「 定向進化説 ㉖ 」も唱えられています。

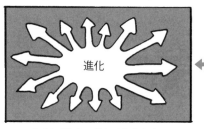

[ダーウィンの考え]

あくまでもランダムでたまたま。

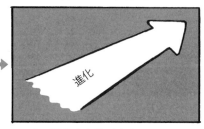

[定向進化説]

ある程度方向性が定まっている?

さらにダーウィンの進化論では、「**生物は自分の子孫をより多く残すために進化する**」とされ、それが、生存に有利な形質に進化する理由と考えます。しかし、生物には自己の繁殖を犠牲にして他者の繁殖を守る利他的行動が見られます。現代では、**個体よりもDNAや血統継承を優先するのが生物である**という、「 血縁淘汰 ㉗ 」や「 利己的遺伝子 ㉘ 」も唱えられています。

[ダーウィンの考え]

自分の子孫を残す

[血縁淘汰][利己的遺伝子]

自分の血縁や種を残すための利他的行為は、遺伝子が操る利己的行為なのか?

最後に、変異とはDNAの配列の書き損じによって生まれますが、その中には体内に侵入したウイルスによって引き起こされたものも存在します。だとすれば、**進化はウイルス感染が原因**ということになります。これを「 ウイルス進化説 ㉙ 」といいます。また、最近では**記憶は遺伝するという動物データ**もあるそうです。進化はまだまだ人智が及ばないほど奥が深そうです。

[ウイルス進化説]

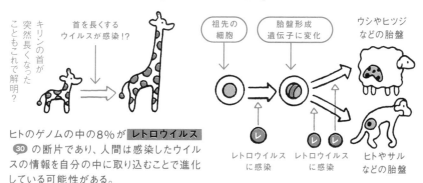

ヒトのゲノムの中の8%が レトロウイルス ㉚ の断片であり、人間は感染したウイルスの情報を自分の中に取り込むことで進化している可能性がある。

8-4 人類の進化
―ヒトの進化のささやかな物語―

サルからヒトへ、ダーウィンの提唱したこの考えは、当時のキリスト教社会において大きな波紋を呼びました。それから150年間、様々な新しい発見から、人類誕生の歴史はどんどんと塗り替えられていきました。本書最後のテーマは、人類史です。

① 猿人から原人へ

約2500万年前に誕生した類人猿の祖先は、長く樹上で生活していましたが、約2000万年前からアフリカ大陸で起きた地殻変動により、環境が激変していきました。そのようななかで約700万年前に、2本の足で大地を歩く、地上中心の生活に移行した者たちが現れました。この**環境の激変と生活スタイルの激変が、人類の進化を加速させた**のです。約700万年前から約400万年前に生息していた人類の祖先を、「初期猿人」といいます。

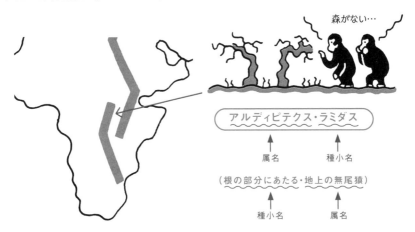

東西で山脈ができたために乾燥化し、熱帯雨林が減少してしまった。

約400万年前に登場したのは、アウストラロピテクス・アファレンシスに代表される「猿人」です。骨盤の形状や足裏の土踏まずの存在、さらに足跡の化石より、初期猿人より**二足歩行がスマートになった**とされています。続いて、約240万年前に登場した人類を「原人」といいますが、ここで最初のホモ属（現生人類直系の祖先）である、ホモ・ハビリスが登場します。彼らは硬い骨の中にある**骨髄を食べるために、石器を使用していました。**

アウストラロピテクス・アファレンシス	ホモ・ハビリス
（アファール地方の・南の猿）	（器用な・ヒト）

集団で長距離を移動していたと
考えられている。

←シンプルな石器

草食動物の骨に、石器によってつけられた
傷が残っていた。

約180万年前から約5万年前まで、ホモ・ハビリスから進化したホモ・エレクトスが現れました。彼らの身体は現生人類とほぼ同じであり、脳の容量も現生人類にかなり近いものでした。彼らは集団で狩りをするようになりました。そのため身体をすばやく動かす必要があり、**足が伸び、汗をかき、体毛が薄くなりました。**また、**主食が火で調理した肉になったことで、脳が増大しました。**

モデル並み

ホモ・エレクトス

（直立する・ヒト）

・頭髪
・発汗
・薄い体毛
・すらりとした長身

現代人にかなり近い見た目になり、集団で狩りをするために
身体機能が発達したと考えられている。火や石斧も用いていた。

脳が大きくなると、出産時に頭が大きすぎて産道を通りにくくなります。そのため、**人類は未熟な状態で生まれるようになりました**。その結果、生まれてから**大人になるまでの期間が他の動物よりも長くなり**、**後天的な学習期間が長くなりました**。また、子育てに手間と時間がかかるようになるため、**家族中心の生活が営まれるようになりました**。これも脳の進化の大きな鍵になります。

[他の動物]

ぜーぜー

生まれてすぐに立ち上がる。
自立できるようになるまで、母体の中にいる。

[人 間]

ぎゃ〜

頭が大きくなったため、自立には
ほど遠い状態で生まれざるをえない。

だからこそ

長い期間の子育ての必要から家族中心の生活になり、
子は成人までに多くのことを学ぶようになる。

② 原人から旧人へ

約180万年前、ホモ・エレクトスはアフリカを出て(出アフリカ)、生活範囲を世界へと広げていきました。北京原人やジャワ原人は、現代では移住したホモ・エレクトスとされています。一方で、アフリカに残り続けたホモ・エレクトスは、60万年前ごろにさらに身体と頭脳を発達させたホモ・ハイデルベルゲンシスに進化しました。

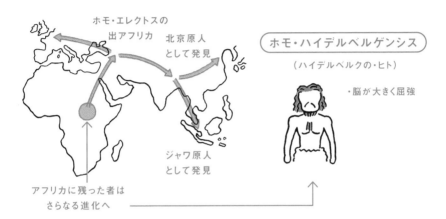

ホモ・ハイデルベルゲンシスも50万年前にアフリカを出てユーラシア大陸各地に広まりましたが、ヨーロッパでは環境の違いに苦しみました。**高緯度で寒く、日差しも弱い環境**に適応していくなかで、彼らは約30万年前にホモ・ネアンデルタレンシス(ネアンデルタール人)に進化しました。彼らは**屈強で色白の人類**だったとされています。また、**埋葬の跡**も見受けられました。この時期の人類のことを「旧人」と呼びます。

③ 旧人から新人へ

一方で、アフリカに残り続けたホモ・ハイデルベルゲンシスは、約20万年前に現生
人類(ホモ・サピエンス、「新人」)に進化しました。

かつては世界に拡散したホモ属がそれぞれの地域で現生人類に進化したという
「 多地域進化説 ㉛ 」が支持されていました。しかし、世界中の人類の細胞内にあるミトコンドリアのDNAを調査すると、すべての現生人類はアフリカの一人の女性から誕生したことが分かったのです。この架空の女性を「 ミトコンドリア・イブ ㉜ 」といいます。またその他科学的調査からも、**現生人類はアフリカで誕生したというのが定説です**。

ミトコンドリア・イブ

母から子へとしか遺伝しないミトコンドリアのDNAをたどると、約16万年前のアフリカの一人の女性にたどり着いた。

ホモ・サピエンス

(賢い・ヒト)

・頭骨は全体的に丸い
・ネアンデルタール人よりスマート
・喉の構造の進化→言葉を話しやすくなる

約19万年前から約13万年前の期間、誕生したてのホモ・サピエンスは絶滅の危機にさらされたとされます。氷河期が続いたのです。その際、全人口は1万人以下にまで減ったとされます。だから、**現代に80億人もいる現生人類の遺伝子の多様性は、他の生物に比べて異常に低い**のだそうです。多様な遺伝子は人口激減の過程で絞られて、**少数の生き残りが私たち現代人の先祖**なのだと分かります。

多様な遺伝子

長い氷河期

絶滅寸前に。

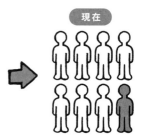

現在

80億人もいるにもかかわらず、
遺伝子はほぼいっしょ。

アフリカの環境が穏やかになってくると、約7～5万年前にホモ・サピエンスはアフリカを出て新天地を目指します。そこには、先に居住域を広げていたネアンデルタール人がいました。どうやら数千年間は、彼らは同じ地域で暮らしていたようです。やがてネアンデルタール人は絶滅してしまうのですが、実は**私たち現代人の遺伝子の中には、ネアンデルタール人の遺伝子が約2％入っている**のだそうです。ネアンデルタール人は私たちの遺伝子の中で生きているともいえるでしょう。

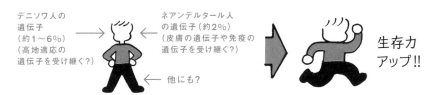

デニソワ人の
遺伝子
（約1～6％）
（高地適応の
遺伝子を受け継ぐ？）

ネアンデルタール人の
遺伝子（約2％）
（皮膚の遺伝子や免疫の
遺伝子を受け継ぐ？）

他にも？

ホモ・サピエンス自体の遺伝子の
多様性はほぼない。

生存力
アップ!!

絶滅した様々な人類の遺伝子を
受け継いで現生人類は生きている!!

最後に、死についてお話ししましょう。

ある種のクラゲは寿命がなく、捕食されない限り永遠に生き続けることができるそうです。つまり**生命は、不死を選択することは可能だった**のです。また、単細胞生物は、細胞分裂で己のクローンを生み続けます。ということは、自己と同じ生命は存在し続けることになりますが、ずっと同じ姿のままです。一方、私たち多細胞生物は、生殖機能によって自分とは異なる遺伝子の子どもを産むことができます。これが進化を育むきっかけとなるのですが、もし私たちに寿命がなければ、進化前の旧型の生命がずっとのさばり、新しい生命の邪魔になります。だから、**あるときに生命は、寿命、すなわち必然的な死を自らに課した**のかもしれません。未来の子孫のために。

不老不死だ～!!
私より優れたものなど
いらぬ～!!

ええぇ～

不老不死は新しい生命も進化の
可能性もなくしてしまう。
死こそ、地球史の命を
紡ぐものなのかもしれない。

これですべての章が終わりました。自然科学というジャンルも、人々が織りなす「物語」として体系的に理解してくだされば、うれしく思います。

KEYWORD & KEYPERSON
重要用語と重要人物を掘り下げる

　宇宙のチリのかたよりをきっかけに、太陽系と地球ができ、天体の衝突とともに、月も形づくられていきました。そこから長い年月をかけて生命が誕生し、過酷な地球環境下でも生き延びるように、生命は共生と進化をくり返して多様な生命になっていきました。そして、約700万年前に、アフリカで二足歩行の猿人が誕生しました。道具を使い、共同生活を送り、脳を発達させて、様々な人類が生まれるようになります。その中のホモ・サピエンスの子孫が、現在の私たちなのです。

　※これまでのChapterですでに登場したワードは、簡単な意味のみ再掲しています。

8-1
地球誕生の歴史
太陽系と地球の壮大な物語

KEYWORD

❶ 超新星爆発

supernova explosion

質量の大きな恒星が進化の最終段階で起こす大爆発。

➡超「新星」とはいっても星の誕生の爆発ではなく、星の終わりの爆発。爆発の際の光は新星の明るさの100万倍にもなるので、「超」新星と呼ばれる。放出された膨大なエネルギーは周りの星間空間に大きな影響を与え、新たな星の誕生につながっていく。

❷ 核融合

nuclear fusion

複数の軽い原子核が結合して、より重い原子核を形成する反応。

➡たとえば水素原子核どうしが融合してヘリウム原子核になる。融合の際には、原子核どうしをクーロン力（→P.67）に反して合体させる必要があるために大きなエネルギーを要する。また、融合の際に質量が欠損して、膨大なエネルギーが放出される場合があり、水素爆弾はこの原理を利用している。

❸ ジャイアント・インパクト説

giant impact theory

月の起源を説明する天体衝突説。

➡原始地球に火星ほどの大きさの天体「テイア」が衝突し、飛び散った両天体のマントルが地球の周回軌道上に集まって月になったとされる。冥王星の衛星「カロン」（→P.147）も、同様の過程でできたと予想されている。

❹ 地磁気

geomagnetism

地球が持つ磁気並びに磁場のこと。

➡地磁気の原因の大部分は核内の流体運動による磁気発生とされる。これをダイナモ理論という（ダイナモとは発電機のこと）。地磁気の極は地軸から$11.5°$傾き、しかも移動している。また、極の逆転も約20万年に1回の割合で起こっている。

❺ マントル

mantle

地球内部の、地殻と核の間にある層。

➡地殻下にあるモホロビチッチ不連続面と、深さ2900kmにある核の上面の間の範囲で、体積は地球の83%を占める。核の周りを包むマントの役割を果たすとして、「マントル」と名付けられた。主な成分は橄欖岩とされる。

❻ はやぶさ／はやぶさ２

Hayabusa / Hayabusa2

宇宙航空研究開発機構（JAXA）の開発した小惑星探査機。

➡はやぶさは小惑星イトカワから、はやぶさ２は小惑星リュウグウから試料を持ち帰ることに成功した。2020年に帰還したはやぶさ２がリュウグウから持ち帰った試料からは、大量の水や有機物が確認された。これは地球の水や生命の起源が宇宙から飛来したという説の有力な後押しになりうる。

❼ 大陸移動説

continental drift theory

もともと巨大なひとつの大陸が、分裂・移動して現在の位置になったという説。

➡南アメリカ大陸とアフリカ大陸の凸凹が一致することや、両大陸の化石の分布に基づいて、1912年にウェゲナーが発表した。当時は冷遇されたが、後に古地磁気学の研究から正当化され、現在ではプレートテクトニクス理論に統合されている。

❽ プレートテクトニクス

plate tectonics

地震・火山活動などのメカニズムを、地球表面を覆うプレートの運動で説明する考え方。

➡固体地球の表面は十数枚の固い板（プレート）によってすきまなく覆われていて、それらの板の移動にともない、その境界に沿って地震その他の地学現象が起こると考える。日本列島は４枚のプレートの境界に位置しており、それぞれの境界の影響を強く受けている。

KEYPERSON

① ウェゲナー

Alfred Lothar Wegener（1880～1930）

ドイツの地質学者・気象学者。

➡1912年に大陸移動説を唱えたが、当時は大陸を移動させる原動力が分からなかったため学界では認められなかった。グリーンランド探検隊に参加した帰途に遭難して死去した。

8-2
生命誕生の歴史
生命が生まれ紡ぐ小さな物語

KEYWORD

❾ 自然発生説

theory of spontaneous generation
生物が親からではなく無生物からも発生するとする説。

➡古代から近代初期まで通説として長く認められていたが、17世紀以降になると実験により否定されていった。その後、微生物の研究が進むにつれ、この分野で自然発生の議論が再燃するが、これも19世紀のパスツールの実験によって否定された。

❿ 化学進化説

theory of chemical evolution
「原始地球で生命が出現するまでの物質の進化」についての説。

➡原始大気中の簡単な無機化合物から、放電などにより有機化合物が生成され、それらがたんぱく質などになり、やがて原始細胞になったと考える。無機化合物から有機化合物を生成する試みは19世紀にすでに成功している。

⓫ 細菌

bacteria
原核細胞を持つ単細胞の微生物（原核生物）。

➡原核生物とは、核膜がなく、核酸と細胞質が明確に分かれない細胞（原核細胞）を持つ生物のこと。原核生物は、真正細菌（一般的な細菌）と古細菌（極端な環境を好む細菌）に分かれる。一方真核生物とは、核膜があり、核と細胞質が明確に分かれた細胞（真核細胞）を持つ生物。

⓬ パンスペルミア説

theory of panspermia
地球の生命は地球外の宇宙からもたらされたとする仮説。

➡20世紀初頭にアレニウスが提唱した。はやぶさ2の持ち帰った小惑星リュウグウの試料から、大量の水と有機物が確認されたことによって、ますます脚光を浴びている。

⓭ DNAワールド

DNA world
DNAが遺伝情報の担い手となっている世界。

➡DNA（deoxyribonucleic acidの略、デオキシリボ核酸）とは、二重らせんの安定構造を持つ、遺伝子の本体。地球上の生物が現実に生きている現在の世界はDNAワールドである。

⓮ RNAワールド

RNA world

RNAを遺伝子の本体とする、原始生命の世界。

→RNA（ribonucleic acid の略、リボ核酸）とは、一本鎖の構造を持つ、DNAの設計図通りにたんぱく質を合成する役割を担う核酸。DNAの情報を受け取るのがメッセンジャーRNA、合成に必要な材料を集めるのが転移RNA、合成する部屋を構成するのがリボソームRNA。RNA自体には遺伝情報を安定的に保管する力はないはずだが、生命誕生の初期においては、遺伝情報の担い手はRNAだけだったのではないかという仮説が提唱されており、その世界のことをRNAワールドという。

⓯ シアノバクテリア

cyanobacteria

光合成を行う原核生物の一群。藍色細菌。

→かつては藻類に属し「藍藻（らんそう）」と呼ばれていたが、近年原核生物であることが明らかになり細菌の一種となった。原始地球において、光合成を行うシアノバクテリアが他の細菌と共生し合体することで真核生物となり、シアノバクテリアは葉緑体になったとされる。

⓰ 光合成

photosynthesis

光のエネルギーを用いて二酸化炭素と水から有機化合物を合成すること。

→光合成の際に二酸化炭素と同量の酸素が生成される。原始地球におけるシアノバクテリアの大量発生が、地球上に大量の酸素を生んだとされる。

⓱ 全球凍結

snowball earth

地球表面全体が氷床に覆われた時代があったという説。

→赤道も含めた地球表面全体の凍結。1992年に提唱された。近年の研究では、全球凍結は約24億年前、7億年前、6億年前の少なくとも3回起きたことが分かっており、大気中の酸素濃度の上昇や、真核生物と多細胞生物の出現といった生物の大進化と因果関係があったのではないかと考えられている。

⓲ 細胞内共生説

intracellular symbiotic theory

真核細胞の小器官は、異種の原核生物が内部に共生したことで生まれたという仮説。

→1970年にマーギュリスが提唱した。葉緑体はシアノバクテリア、鞭毛（べんもう）はスピロヘータ（糸状でらせん形の細菌）、ミトコンドリアはプロテオバクテリアが起源と考えられている。

⓳ ミトコンドリア

mitochondria

真核細胞に存在する固有の細胞小器官。

→細胞の核とは別にDNAを持ち、独自に分裂によって増殖する。ギリシア語のmitos（糸）とchondros（粒）の複合語で、ドイツの細胞学者ベンダが命名した。生命活動に必要なエネルギー源の供給に重要な役割を果たす。

⑳ 遺伝子

gene

遺伝形質を決定する因子。

➡ エンドウの交雑実験をまとめた1865年の論文で「遺伝の法則」を示したメンデルは、遺伝形質を決定する「何か」があると考え、それを「要素」と称した。これが後に「遺伝子」と呼ばれるようになった。その後、遺伝子はDNAであることが明らかになった。長い二重らせんのDNAは染色体の中で折りたたまれている。

ちなみに、ゲノムとは染色体1セットにある遺伝子全体のこと。なお、2022年のノーベル医学生理学賞は、ネアンデルタール人のゲノム解読をして、現生人類との遺伝的つながりを解き明かしたスバンテ・ペーボが受賞した。

KEYPERSON

② パスツール

Louis Pasteur（1822〜1895）

フランスの化学者・細菌学者。

➡ 近代微生物学の祖。醸造家の依頼でビールやワインなどの発酵や腐敗についての研究を開始。乳酸発酵やアルコール発酵についての研究、実験による微生物自然発生説の否定、ニワトリコレラの研究、狂犬病などのワクチンの開発など、多大な功績を残した。

8-3
生物の進化
進化の謎に挑む壮大な物語

KEYWORD

㉑ 『種の起源』

On the Origin of Species by Means of Natural Selection

1859年に出版された、生物進化について述べた書籍。ダーウィン著。

➡生物界における自然選択による適者生存を説いた、進化論の古典。生物は神が創造したとするキリスト教思想が主流であった当時のヨーロッパにおいて、広く社会思想にまで多大な影響を与えた。

㉒ 放射性同位体

radioisotope

放射能を持つ同位体。

➡放射能とは放射線を放出する性質のこと。同位体とは原子核の中の、中性子の数が異なる原子のこと(→P.238)。同位体のうち不安定で放射能を持ち、崩壊するものを放射性同位体といい、安定で崩壊しないものを安定同位体という。放射性同位体の半減期をもとにした年代測定法により、かなり具体的な年代測定が可能になった。

㉓ 自然選択説

theory of natural selection

自然環境における生存競争の結果、少しでも有利な形質を持ったものが生存し子孫を残せるという説。

➡自然淘汰説ともいう。進化を説明する理論としてダーウィンが導入し、その著書『種の起源』によって広く認知された。現代の進化論においても中心的な位置を占めている。

㉔ 社会ダーウィニズム

social Darwinism

ダーウィンの自然選択説を用いて社会現象を説明しようという立場。

➡主に、自由主義経済における市場競争と利潤追求を自然選択説で説明しようとする立場と、人種間の闘争と征服を自然選択説で説明しようとする立場などがある。

㉕ 断続平衡説

theory of punctuated equilibrium

長期間では種は平衡状態で安定し、短期間の爆発的な種分化が断続的に起こるという説。

➡均一的な速度で漸進的に進化が進むとするダーウィンの進化論と対立する説。化石資料などのデータから導かれた。

㉖ 定向進化説

theory of orthogenesis

生物には、一定の方向に進化する内的な能力が備わっているとする説。

➡進化とはランダムな変化からの適応によるとするダーウィンの進化論と対立する説。生物の進化を化石に従って研究すると、形態の変化には一定の方向があることから導かれた。

㉗ 血縁淘汰

kin selection

同じ血縁（遺伝子）を持つ他者の生存を優先する利他的行動によって起こる淘汰。

➡たとえば働きバチ（女王バチの子、メス）は、自己の遺伝子を残さずに女王バチ（働きバチの母、メス）とその子どもたち（働きバチの弟妹、オス・メス）を守ることに専念する。このような生物の利他的行動は、ダーウィンの進化論ではうまく説明ができなかったが、自分と近い遺伝子を子孫に残すことを重視する血縁淘汰の考え方でならうまく説明できる。

㉘ 利己的遺伝子

selfish gene

自然選択の対象となるのは生物個体ではなく、その遺伝子であるという考えを説明するために用いられた表現。

➡イギリスの生物学者ドーキンスによって提唱された概念。生物個体は、自分のコピーを残そうとする「利己的遺伝子」に利用される道具でしかないと考える。

㉙ ウイルス進化説

virus theory of evolution

進化はウイルスの感染によって引き起こされるという説。

➡中原英臣と佐川峻が主張した進化説。生物進化のすべてがウイルスによって生じるか否かは現状明らかではないが、ウイルス由来の遺伝子が哺乳類の進化をもたらしたことを実証したとする研究は、すでに発表されている。

㉚ レトロウイルス

retrovirus

RNAを遺伝子に持ち、逆転写酵素により自らをコピーしてDNAを合成するウイルス。

➡宿主の染色体に組み込まれることで、生物の進化に影響を与えるとされる。

通常の遺伝情報の流れ（DNA→RNA）とは反対（RNA→DNA）であるため、レトロ（逆方向）と名付けられた。

KEYPERSON

③ **ダーウィン**

Charles Robert Darwin（1809〜1882）
イギリスの博物学者。
➡イギリス海軍の測量船ビーグル号に博物学者として乗船し、5年にわたって南半球を航海した。その際の動植物や地質の調査は、ダーウィンの名を高めるとともに、帰国後に自然選択・適者生存の進化論を構想する際の土台にもなった。また、進化論の構想において、経済学者マルサスの『人口論』の影響を受けたことを自身の口で語っている。

④ **マルサス**

Thomas Robert Malthus（1766〜1834）
イギリスの経済学者。
➡19世紀の経済不況や貧困や悪徳に対して、当時は既存の政治経済の制度に責任を求める声が大きかった。それに対してマルサスは人口の増加に責任を見出し、それを著書『人口論』の中で説いた。そして人口の増加を道徳的に抑制することを提唱したが、これは後のケインズ経済学につながることになる。

> **8-4**
> **人類の進化**
> ヒトの進化のささやかな物語

KEYWORD

㉛ **多地域進化説**

multiregional model
アフリカから各地に拡散した原人（ホモ属）が、各地で進化して新人になったとする説。
➡旧説。現代では、アフリカにおける新人化石や装飾品の発見、さらにミトコンドリア・イブ説により、新人はアフリカで誕生し、その後世界中に拡散していったとするアフリカ単一起源説が主流になっている。

㉜ **ミトコンドリア・イブ**

mitochondrial eve
現生人類の母系祖先をさかのぼってたどり着いた一人の女性祖先。
➡細胞核とは独自のDNAを持つミトコンドリアは母系にしか遺伝しないため、この遺伝子をさかのぼることは母系祖先をさかのぼることを意味する。そこでたどり着いた祖先は約16万年前のアフリカのいち女性だった。現世人類は皆この遺伝子を受け継いでいるが、人類が彼女から始まったというわけではない。

もっと教養を深めたい人のための
ブックガイド

本書を最後まで読んでくださり、ありがとうございます。本書を読んだことをきっかけに、きっと様々な本をもっともっと読みたくなったのではないでしょうか。本書で学んだ、背景知識となる「教養」は、より高度な知を獲得するための武器になります。ここでは、各章のテーマをもっと深めたい人におすすめの本を紹介します。ここで紹介するほとんどの本は、電子書籍でも販売されているため、たとえ絶版になっても入手が可能です。ぜひ参考にしてみてください。

Chapter.1 科学史

つぎに読むのにおすすめの本

＼ 自然科学を「ことば」で学ぶ ／

『パラダイムでたどる科学の歴史』

著者 **中山 茂**　　出版社 **ベレ出版**

科学史の中で起こる「パラダイム」の転換に焦点を当てながら、科学の歴史を基本活字で分かりやすく解説してくれる良書です。自然科学分野であればこそ、「絵や図や式」で理解するだけでなく、「ことば」で理解するというのはとても大事なことです。図解を駆使した『教養の教科書』の後は、「ことば」を駆使した本書をおすすめします。

Chapter.1 科学史

さらに深めるのにおすすめの本

＼ 科学者たちのひらめきを盗め ／

『科学史ひらめき図鑑 世界を変えた科学者70人のブレイクスルー』

著者 **スペースタイム**　　監修 **杉山 滋郎**　　出版社 **ナツメ社**

科学史に残る科学者の「ひらめき」に焦点を当てながら、そこから導かれた功績を分かりやすく紹介する構成をとっています。非常によく練り込まれた良書だと思います。『教養の教科書』や『パラダイムでたどる科学の歴史』とはまた違った角度で科学史を学べます。

つぎに読むのにおすすめの本

\ 物理学を学ぶというより、物理学という学問を学ぶ /

『東京大学の先生伝授 文系のためのめっちゃやさしい 物理』

監修 **松尾 泰**　　出版社 **ニュートンプレス**

物理学全般を、生徒と先生が対話する形式で分かりやすく紹介しています。また、物理だけでなく、ニュートンプレスの『文系のためのめっちゃやさしい ○○』シリーズは、様々な分野をやさしく、しかもしっかりと学ぶ第一歩として、どれもおすすめできます。

さらに深めるのにおすすめの本

\ 公式から逃げずに立ち向かうなら、これ /

『「物理・化学」の法則・原理・公式がまとめてわかる事典』

著者 **涌井 貞美**　　出版社 **ベレ出版**

物理学と化学ジャンルにおける主要な法則・原理・公式を、歴史的経緯も踏まえて順序よく説明してくれる良書です。自然科学ジャンルだからこそ、「法則・原理・公式」をきちんと理解するというのはとても大事なことです。ベレ出版のこの『まとめてわかる事典』シリーズは特に「公式」から逃げずに立ち向かうための一歩には最適です。

つぎに読むのにおすすめの本

\ 相対性理論をさらに掘り下げたい方に /

『眠れなくなるほど面白い 図解 相対性理論』

著者 **大宮 信光**　　出版社 **日本文芸社**

難解な相対性理論を、デフォルメしすぎず、それでいて本格的すぎずに、図解を駆使して説明してくれます。日本文芸社の『眠れなくなるほど面白い 図解 ○○』シリーズは、文系理系問わずたくさん出版されています。ものによって難易度には少し差はありますが、どれも浅すぎず深すぎずの絶妙なラインをついてくるので、あちこちに知的散歩をするのにおすすめです。

＼ 天才の理論を天才のことばで ／

『「相対性理論」を楽しむ本 よくわかるアインシュタインの不思議な世界』

監修 **佐藤 勝彦**　　出版社 **PHP研究所（PHP文庫）**

佐藤勝彦氏は『教養の教科書』の5章「宇宙」に登場した方です。「6歳の子どもに説明できなければ、理解したとはいえない」とはアインシュタインのセリフですが、佐藤勝彦氏の本はどれもことばで分かりやすく面白く説明されています。難しいことを分かりやすくことばで説明するというのはとても大事で、そして難しいことです。私自身も勉強になります。

- -

＼ 量子論と相対性理論のいいとこ取り ／

『くらべてみると面白いほどよくわかる！ 【図解】相対性理論と量子論』

著者 **矢沢サイエンスオフィス**　　出版社 **Gakken**

「相対性理論」と「量子論」、どちらも図解や写真付きで分かりやすく、しかも両者の違いを比較しながら論じてくれるところが秀逸です。矢沢サイエンスオフィスも「図解」シリーズとしていろいろ出していてどれもおすすめです。著者の方（方々？）は、知識だけでなく、構成力や文章力もとても高いと感じています。感心します。

＼ 難解な理論を天才のことばで ／

『「量子論」を楽しむ本 ミクロの世界から 宇宙まで最先端物理学が図解でわかる！』

監修 **佐藤 勝彦**　　出版社 **PHP研究所（PHP文庫）**

なるべくおすすめする著者と出版社は散らしたかったのですが、ここは佐藤勝彦氏の「相対性理論」と「量子論」をセットで楽しむことをおすすめさせてください。ちなみに、PHP文庫もお手軽なのに優れた名著がさり気なくあって楽しいですね。ぜひ、本屋さんのPHP文庫の棚で立ち止まってみてください。本のタイトルを眺めるだけで楽しくなってきます。

- -

＼ 理系はやっぱりニュートンプレス ／

『ニュートン式 超図解 最強に面白い!! 宇宙』

監修 **佐藤 勝彦**　　出版社 **ニュートンプレス**

また佐藤勝彦氏になってしまいますが、ここではニュートンプレスの『ニュートン式 超図解
最強に面白い!! 〇〇』シリーズの方をご紹介します。このシリーズは、2章「物理学」の
おすすめで前述した『文系のためのめっちゃやさしい 〇〇』シリーズの前身となるものです。
各ジャンルの要所の結果だけを大きな図解でズバッと分からせてくれます。理系分野がそ
もそも苦手な方は、このシリーズの方をおすすめします。

＼ SFのときどきする興奮を、最新の理論で ／

『不自然な宇宙 宇宙はひとつだけなのか?』

著者 **須藤 靖**　　出版社 **講談社（ブルーバックス）**

マルチバース理論の紹介が主題なのですが、理解の前提となる宇宙論も丁寧に解説して
くれているので、この1冊で宇宙に関する素養はすべて手に入る良書になります。宇宙の
素養をある程度手にしたうえで、マルチバース理論を読み進めていくときの、あの知的どき
どきはたまりません。まるでSFのような理論ですが、最新の理論です。

＼ 数学を分かりやすくする隠れた名作 ／

『決定版 数学のすべてがわかる本』

編集 **科学雑学研究倶楽部**　　出版社 **ワン・パブリッシング**

タイトル通り、数学の概要がほぼすべてわかります。数学の苦手な人が持っている疑問や
不満を、よくご理解なさっている方々が書かれているかと存じます。かゆいところに手の届
く大変な良書です。数学が苦手な私は目からウロコが何度も落ちました。科学雑学研究
倶楽部の本もどれも丁寧に作り込まれていて、理系に挑み挫折した文系の方には特にお
すすめできます。

＼ 解くのも数学、読むのも数学 ／

『はじめて読む数学の歴史』

著者 **上垣 渉**　　出版社 **ベレ出版**

古代から近世末までの数学史をかなり丁寧に教えてくれています。数学の大切さとは、結果としての公式を用いていかに使いこなしていくか、というだけではありません。今ある数学の体系がどのような過程を経て築き上げられていったのか、それを学ぶことも考えるヒトを養ううえで大切であると、思い知ります。ちなみに、ちょっと難しいのですが、ちくま学芸文庫の『数学序説』もぜひ手に取ってほしいロングセラーの名作です。

＼ 化学を好きになるきっかけになれる ／

『「化学の歴史」が一冊でまるごとわかる』

著者 **齋藤 勝裕**　　出版社 **ベレ出版**

またベレ出版になってしまいますが、『〇〇が一冊でまるごとわかる』シリーズも、はじめの一歩としておすすめできる本の一つです。ベレ出版も教養系、特に自然科学系は強いですね。『教養の教科書』の自然科学編制作のうえで、ベレ出版とニュートンプレスには私自身大変お世話になりました。どうもありがとうございます。ちなみに、本書に関しては『教養の教科書』の原稿執筆後に、本屋さんで発見しました。もっと早く出会いたかった……。

＼ 3時間以上かけて読んでほしい良書 ／

『図解 身近にあふれる「元素」が3時間でわかる本』

編著者 **左巻 健男**　　著者 **元素学たん**　　出版社 **明日香出版社**

3時間では分かりませんが、よくできています。表紙を見ると図解で分からせるようにみえますが、実は「ことば」でがっつりと分からせるタイプです。この『〇〇が3時間でわかる本』シリーズはどれも3時間では済まず結構硬派ですが、逆にいえばしっかりと知識欲を満足させてくれる良書ばかりです。

つぎに読むのにおすすめの本

Chapter.8 地球史

＼ 地球史を学びながら、生物学と地学も学べる ／

『最新版 地球46億年の秘密がわかる本』

編集 **地球科学研究倶楽部**　　　出版社 **ワン・パブリッシング**

地球誕生から生命の誕生の過程、並びに生物学や地学の知見など、盛りだくさんな内容をカラーイラストで分かりやすく説明してくれています。地球科学研究倶楽部では生物学ジャンル・地学ジャンルの本を作成されていますが、専門的で最新の知見を驚くほど分かりやすく説明します。何者なんでしょうか。

さらに深めるのにおすすめの本

Chapter.8 地球史

＼ 進化を通して生命の謎に迫る ／

『進化論はいかに進化したか』

著者 **更科 功**　　　出版社 **新潮社（新潮選書）**

分かりやすい文章で、進化論ならびに進化論の進化の歴史を教えてくれています。「学べば学ぶほど、知らなかったことに気付く」とはこれもアインシュタインのセリフです。生命の進化とは何か。残酷でもありやさしくもあるこの不思議なメカニズムは、まだまだ謎が多そうです。

人文・社会編も大好評発売中

人文・社会の教養をビジュアル図解で大解剖！

世界でいちばんやさしい
教養の教科書
［人文・社会の教養］

［著］児玉克順　［絵］fancomi

索引
INDEX

索引
INDEX

参考文献リスト
REFERENCES

Chapter.1 科学史

・池内 了『宇宙論と神』集英社(集英社新書)
・池内 了『知識ゼロからの科学史入門』幻冬舎
・池内 了『物理学と神』講談社(講談社学術文庫)
・伊東 俊太郎／広重 徹／村上 陽一郎『思想史のなかの科学 改訂新版』平凡社
・木村 靖二 編／岸本 美緒 編／小松 久男 編『詳説世界史研究』山川出版社
・小室 直樹『数学を使わない数学の講義』ワック
・帝国書院編集部 編『最新世界史図説タペストリー』帝国書院
・中山 茂『パラダイムでたどる科学の歴史』ベレ出版
・長尾 真『「わかる」とは何か』岩波書店(岩波新書)
・野家 啓一『科学哲学への招待』筑摩書房(ちくま学芸文庫)
・古川 安『科学の社会史』筑摩書房(ちくま学芸文庫)
・村上 陽一郎『科学の現在を問う』講談社(講談社現代新書)
・村上 陽一郎『文明のなかの科学』青土社
・茂木 健一郎 監修／日本実業出版社 編『学問のしくみ事典』日本実業出版社
・レナード・ムロディナウ／水谷 淳 訳『この世界を知るための人類と科学の400万年史』河出書房新社

Chapter.2 物理学

・朝永 振一郎 編／高林 武彦／中村 誠太郎『物理の歴史』筑摩書房(ちくま学芸文庫)
・有賀 暢迪『力学の誕生—オイラーと「力」概念の革新—』名古屋大学出版会
・アン・ルーニー／立木 勝 訳『物理学は歴史をどう変えてきたか：古代ギリシャの自然哲学から暗黒物質の謎まで』
　東京書籍
・池内 了『知識ゼロからの科学史入門』幻冬舎
・伊東 俊太郎／広重 徹／村上 陽一郎『思想史のなかの科学 改訂新版』平凡社
・野家 啓一『科学哲学への招待』筑摩書房(ちくま学芸文庫)
・茂木 健一郎 監修／日本実業出版社 編『学問のしくみ事典』日本実業出版社
・山本 義隆『古典力学の形成—ニュートンからラグランジュへ』日本評論社
・山本 義隆『熱学思想の史的展開〈1〉〈2〉熱とエントロピー』筑摩書房(ちくま学芸文庫)
・涌井 貞美『「物理・化学」の法則・原理・公式がまとめてわかる事典』ベレ出版

Chapter.3 相対性理論

・アン・ルーニー／立木 勝 訳『物理学は歴史をどう変えてきたか：古代ギリシャの自然哲学から暗黒物質の謎まで』東京書籍
・池内 了『知識ゼロからの科学史入門』幻冬舎
・伊東 俊太郎／広重 徹／村上 陽一郎『思想史のなかの科学 改訂新版』平凡社
・大宮 信光『眠れなくなるほど面白い 図解 相対性理論』日本文芸社
・佐藤 勝彦 監修『「相対性理論」の世界へようこそ―ブラックホールからタイムマシンまで』PHP研究所（PHP文庫）
・佐藤 勝彦 監修『「相対性理論」を楽しむ本 よくわかるアインシュタインの不思議な世界』PHP研究所（PHP文庫）
・佐藤 勝彦 監修『「量子論」を楽しむ本 ミクロの世界から宇宙まで最先端物理学が図解でわかる！』PHP研究所（PHP文庫）
・服部 武志 監修『旺文社 物理事典』旺文社
・茂木 健一郎 監修／日本実業出版社 編『学問のしくみ事典』日本実業出版社
・矢沢サイエンスオフィス『くらべてみると面白いほどよくわかる！【図解】相対性理論と量子論』Gakken
・涌井 貞美『「物理・化学」の法則・原理・公式がまとめてわかる事典』ベレ出版

Chapter.4 量子論

・アン・ルーニー／立木 勝 訳『物理学は歴史をどう変えてきたか：古代ギリシャの自然哲学から暗黒物質の謎まで』東京書籍
・伊東 俊太郎／広重 徹／村上 陽一郎『思想史のなかの科学 改訂新版』平凡社
・佐藤 勝彦 監修『「相対性理論」の世界へようこそ―ブラックホールからタイムマシンまで』PHP研究所（PHP文庫）
・佐藤 勝彦 監修『「相対性理論」を楽しむ本 よくわかるアインシュタインの不思議な世界』PHP研究所（PHP文庫）
・佐藤 勝彦 監修『「量子論」を楽しむ本 ミクロの世界から宇宙まで最先端物理学が図解でわかる！』PHP研究所（PHP文庫）
・須藤 靖『不自然な宇宙 宇宙はひとつだけなのか？』講談社（ブルーバックス）
・Newton ライト『素粒子のきほん』ニュートンプレス
・服部 武志 監修『旺文社 物理事典』旺文社
・ブライアン・コックス／ジェフ・フォーショー／伊藤 文英 訳『クオンタムユニバース 量子』ディスカヴァー・トゥエンティワン
・矢沢サイエンスオフィス『くらべてみると面白いほどよくわかる！【図解】相対性理論と量子論』Gakken
・和田 純夫 監修『ニュートン式 超図解 最強に面白い!! 量子論』ニュートンプレス

参考文献リスト
REFERENCES

Chapter.5 宇宙

・アーサー・I. ミラー／阪本 芳久 訳『ブラックホールを見つけた男』草思社(草思社文庫)
・池内 了『知識ゼロからの科学史入門』幻冬舎
・伊東 俊太郎／広重 徹／村上 陽一郎『思想史のなかの科学 改訂新版』平凡社
・大宮 信光『眠れなくなるほど面白い 図解相対性理論』日本文芸社
・小松 英一郎／川端 裕人『宇宙の始まり、そして終わり』日経BPマーケティング
・佐藤 勝彦『インフレーション宇宙論—ビッグバンの前に何が起こったのか』講談社(ブルーバックス)
・佐藤 勝彦『宇宙論入門:誕生から未来へ』岩波書店(岩波新書)
・佐藤 勝彦『14歳からの宇宙論』河出書房新社(河出文庫)
・佐藤 勝彦 監修『ニュートン式 超図解 最強に面白い!! 宇宙』ニュートンプレス
・須藤 靖『不自然な宇宙 宇宙はひとつだけなのか?』講談社(ブルーバックス)
・ニュートン別冊『宇宙大図鑑200』ニュートンプレス
・ニュートン別冊『次元のすべて 改訂第2版』ニュートンプレス
・羽澄 昌史『宇宙背景放射「ビッグバン以前」の痕跡を探る』集英社(集英社新書)
・服部 武志 監修『旺文社 物理事典』旺文社
・二間瀬 敏史『ブラックホールに近づいたらどうなるか?』さくら舎
・矢沢サイエンスオフィス『くらべてみると面白いほどよくわかる!【図解】相対性理論と量子論』Gakken
・渡部 潤一 監修／NHK「コズミックフロント」製作班『宇宙はなぜこのような形なのか』KADOKAWA(角川EPUB選書)

Chapter.6 数学

・上垣 渉『はじめて読む数学の歴史』ベレ出版
・大上 丈彦 監修『眠れなくなるほど面白い 図解 微分積分』日本文芸社
・科学雑学研究倶楽部 編『決定版 数学のすべてがわかる本』ワン・パブリッシング
・木村 俊一『ニュートン式 超図解 最強に面白い!! 数学 数と数式編』ニュートンプレス
・銀林 浩『子どもはどこでつまずくか—数学教育を考えなおす』国土社
・佐藤 健一『要説 数学史読本』東洋書店
・中村 滋 監修『数字(ずかん)』技術評論社
・ニュートン別冊『次元のすべて 改訂第2版』ニュートンプレス
・矢沢サイエンスオフィス『図解 数学の世界』ワン・パブリッシング
・吉田 洋一／関 攝也『数学序説』筑摩書房(ちくま学芸文庫)

Chapter.7 化学

・アイザック・アシモフ／玉虫 文一 訳／竹内 敬人 訳『化学の歴史』筑摩書房（ちくま学芸文庫）
・池内 了『知識ゼロからの科学史入門』幻冬舎
・齊藤 隆夫 監修『旺文社 化学事典』旺文社
・桜井 弘 監修『ニュートン式 超図解 最強に面白い!!化学』ニュートンプレス
・左巻 健男 編著／元素学たん『図解 身近にあふれる「元素」が3時間でわかる本』明日香出版社
・服部 武志 監修『旺文社 物理事典』旺文社
・松本 泉 原作／佐々木 ケン 漫画『マンガ おはなし化学史―驚きと感動のエピソード満載!』講談社（ブルーバックス）
・涌井 貞美『「物理・化学」の法則・原理・公式がまとめてわかる事典』ベレ出版

Chapter.8 地球史

・池内 了『知識ゼロからの科学史入門』幻冬舎
・池上 彰／岩崎 博史／田口 英樹『池上彰が聞いてわかった 生命のしくみ 東工大で生命科学を学ぶ』朝日新聞出版
・NHKスペシャル「人類誕生」制作班／馬場 悠男 監修／海部 陽介 監修『NHKスペシャル 人類誕生 大逆転! 奇跡の人類史』NHK出版
・川上 紳一 監修『ニュートン式 超図解 最強に面白い!! 地球46億年』ニュートンプレス
・坂本 達哉『社会思想の歴史―マキアヴェリからロールズまで―』名古屋大学出版会
・更科 功『進化論はいかに進化したか』新潮社（新潮選書）
・田近 英一『地球・生命の大進化（大人のための図鑑）』新星出版社
・地球科学研究倶楽部 編『最新版 地球46億年の秘密がわかる本』ワン・パブリッシング
・地球科学研究倶楽部 編『生命38億年の秘密がわかる本』Gakken
・日高 敏隆『動物という文化』講談社（講談社学術文庫）

［著］ **児玉克順** KODAMA KATSUYUKI

1972年生まれ。予備校講師。28年間の現代文講師を経て、現在学校内予備校講師と高校非常勤講師として、目の前の生徒相手に研鑽を積み重ねる。今回、自然科学編の執筆のために、文系人間が3年以上自然科学系の本を読み漁りかみくだき続けたことで、つくづく今の時代における「哲学リテラシー（哲学的素養）」と「科学リテラシー（科学的素養）」の必要性を思い知る。

［絵］ **fancomi** FANCOMI

1980年日本生まれ。A&A青葉益輝広告制作室勤務の後独立。イラストレーターとして、ジャンルに捕われず幅広く活動中。第3回グラフィック「1_WALL」ファイナリスト。近年は絵本制作にも取り組んでいる。

世界でいちばんやさしい 教養の教科書［自然科学の教養］

[PRODUCTION STAFF]

ブックデザイン	野条友史＋小原範均（BALCOLONY.）
イラストレーション	fancomi
企画編集	髙橋龍之助
編集協力	大橋直文（はしプロ）
校正	左高豊武　大橋直文
校閲	株式会社 鴎来堂
制作協力	左高豊武　荒木七海
販売担当	遠藤勇也
データ作成	株式会社 四国写研
印刷	株式会社 リーブルテック